ARDOISE

DU MÊME AUTEUR

Cinquante contre un, nouvelles, Barrault, 1981.
Bleu comme l'enfer, roman, Barrault, 1982.
Zone érogène, roman, Barrault, 1985.
37°2 le matin, roman, Barrault, 1985.
Maudit manège, roman, Barrault, 1986.
Échine, roman, Barrault, 1998.
Crocodiles, nouvelles, Barrault, 1989.
Lent dehors, roman, Barrault, 1991.
Lorsque Lou, Futuropolis, 1992.
Sotos, roman, Gallimard, 1993.
Assassins, roman, Gallimard, 1994.
Entre nous soit dit, Plon, 1996.
Criminels, roman, Gallimard, 1998.
Sainte-Bob, roman, Gallimard, 1999.
Vers chez les blancs, roman, Gallimard, 2000.

PHILIPPE DJIAN

ARDOISE

Julliard
24, avenue Marceau
75008 Paris

Ouvrage publié sous la direction de Betty Mialet

© Éditions Julliard, Paris, 2002
ISBN 2-260-01525-5

Voici de quoi il s'agit :

« *Un jour, j'ai sorti un livre, je l'ai ouvert et c'était ça. Je restais planté un moment, lisant et comme un homme qui a trouvé de l'or à la décharge publique. J'ai posé le livre sur la table, les phrases filaient facilement à travers les pages comme un courant. Chaque ligne avait sa propre énergie et était suivie d'une semblable et la vraie substance de chaque ligne donnait sa forme à la page, la sensation de quelque chose sculptée dans le texte. (...) Je sortis le livre et l'emportai dans ma chambre. Je me couchai sur mon lit et le lus. Et je compris bien avant de le terminer qu'il y avait là un homme qui avait changé l'écriture. (...) Ce livre fut ma première découverte de la magie.* » Charles Bukowski, 1979 (à propos de *Ask the Dust* de John Fante).

J'ai éprouvé le même genre d'émotion avec *L'Attrape-Cœurs* de Jerome David Salinger lorsque j'avais dix-huit ans. Je sais de quoi un livre est capable. Je pense à une blessure. Je pense à une blessure qui aurait quelque chose d'amical, d'où le sang continuerait de couler avec douceur pour vous rappeler que vous êtes en vie et même bien en vie et capable d'éprouver une émotion qui vous honore et vous grandit.

Je pense à une blessure car, étrangement, se mêle une notion de douleur à l'amour que l'on porte à certain livre. Il s'est enfoncé dans vos chairs, non pas avec précaution et finesse, mais avec une violence impitoyable. En y repensant vos poils se hérissent sur votre corps.

Au début des années cinquante, Henry Miller a publié un ouvrage intitulé *Les Livres de ma vie*. Il ne se considérait pas comme un grand lecteur mais en recensait plus de trois mille. Quant à moi, je n'arrive pas à la moitié et suis loin d'en tirer une quelconque arrogance, mais cette précision est importante : vous devez pouvoir juger de mon autorité en la matière.

Quand Nabokov déclare que Pound c'est de la merde ou que Dostoïevski ne vaut rien (mais cette canaille a écrit *Lolita* !...), nombreux sont ceux qui lui accordent certaine compétence universitaire. Or, je n'en ai pas la moindre : je me présente à vous hirsute et sanguinolent et vous demande de me croire sur parole. Franchement, je ne sais comment je réagirais à votre place.

Quand, se prélassant dans un palace des bords du Léman, entre deux chasses aux papillons, Nabokov déclarait que le monologue de Molly Bloom était la grande faiblesse de Joyce (mais *Lolita* est une telle merveille !...), j'étais encore trop jeune pour lui sauter à la gorge et l'étrangler de mes propres mains. Je me suis promené pendant vingt ans avec la dernière page d'*Ulysse* pliée dans mon portefeuille et cette autre blessure ne se refermera jamais.

L'exercice que j'entreprends ici ne vaut que s'il est accompli par d'autres. Je n'ai pas le goût de m'avancer seul pour ce genre de choses. En tant que lecteur, je donnerais cher pour connaître « Les livres de ma vie » de quelques écrivains et j'imagine en tremblant ce que Kerouac ou Brautigan ou Faulkner auraient pu nous livrer à ce propos. J'entends, il s'agit ici de confidences. La question n'est pas de savoir *pour qui* vous êtes prêt à donner votre vie, mais *qui* vous a bel et bien transpercé le cœur, *qui* vous a proprement taillé en pièces. Et si votre grande histoire d'amour n'était pas Cervantès mais John Fante, ou William Saroyan ou Sherwood Anderson ?

La liste des quelques livres que j'ai en tête, ces livres qui ont fait bien plus qu'influencer mon travail, ces livres qui ont changé ma vie, disons qu'ils furent une pluie de météorites et que cette pluie a duré dix ans. Entre ma vingtième et ma trentième année. Ensuite, je me suis mis à écrire. J'ai cinquante ans aujourd'hui et le ciel est resté d'un calme étonnant... Oh, je fais encore de magnifiques découvertes, il m'arrive encore de passer des nuits entières avec un livre et certains auteurs m'éblouissent, mais rien de comparable avec les émotions d'autrefois. Il n'y a plus de larmes, plus de vertiges, plus de tremblements, plus de bonheur indicible, plus de connexion directe avec le firmament. Il y a de la littérature. Certes.

J'ai vécu ces dix années dans une sorte d'ivresse permanente. J'étais au milieu d'une tempête. Des océans s'abattaient sur moi et je pensais à reprendre ma respiration. Le hasard voulut que ce ne fût pas Cervantès mais Salinger, Kerouac ou Carver, au plus fort de la tourmente. Il y a cette période de la vie où l'on est fécondé. Cette période que l'on ne maîtrise pas, du moins pour ce qui concerne sa mise en activité. Et le monde s'engouffre à l'intérieur de vous sans ménagement. Quelque chose s'ouvre, puis se referme. Quant à moi, pour la plupart, ils étaient américains. À part Céline, Cendrars et Lao-tseu.

En fait, j'étais alors bien plus impressionné par James Dean, Marlon Brando ou Bob Dylan que par les écrivains. Je n'attendais rien de la littérature. Je ne lisais pas beaucoup, et en général, quand je n'avais rien de mieux à faire. Je n'accordais aux livres qu'une attention distraite. Quelquefois, j'étais surpris par l'étrange intensité qui se dégageait d'une page, mais il en était comme d'une apparition fugace et improbable dont on ne sait s'il faut réellement y croire, si l'on a du temps à perdre avec certaines anomalies sensorielles.

J'étais très intéressé par la vie, à cette époque. Par l'expérience de la vie. Le cinéma et la musique étaient de bons compagnons de route. Ils me parlaient. Les livres ne me parlaient pas encore. Je n'étais pas prêt. Avant *L'Attrape-Cœurs*, je ne savais pas ce qu'était un livre. Je crois que l'on peut lire durant toute sa vie sans savoir ce qu'est *réellement* un livre, sans jamais avoir senti ses genoux se plier et se cogner contre le sol. Il se peut que l'on ne soit jamais prêt et *the readiness is all*, comme le remarquait Hamlet. Prenez notre ami Nabokov qu'aucune musique n'a jamais pu émouvoir : derrière le splendide écrivain, il y a toujours le petit pète-sec incapable de saisir la merveilleuse musique de Molly Bloom tandis que Bukowski pleurait en écoutant Mahler et Kerouac avec Charlie Parker. Si l'on peut vivre sans la musique, on doit pouvoir le faire sans les livres. Je n'avais pas l'impression de m'en porter plus mal. Voyez comme il courait après ses papillons, comme de sa suite au Beau Rivage il était en mesure d'apprécier les subtiles variations de la lumière sur les eaux du lac. En d'autres lieux, préoccupé par d'autres problèmes, je n'étais pas plus à plaindre que lui. « *Si c'est la connaissance ou la sagesse que l'on recherche, déclare Miller, mieux vaut alors aller directement à la source. Et la source, ce n'est pas le savant ni le philosophe, le maître, le saint ni le professeur, mais la vie elle-même, l'expérience brute de la vie.* » J'étais tout à

fait d'accord. Je pensais que les livres étaient une
source de savoir. Je ne savais pas encore qu'ils parlaient d'autre chose. Que *certains livres* parlaient
d'autre chose. Que *certains livres* n'étaient pas des
livres mais de purs moments d'émotion qui vous éle-
vaient vers les cimes. J'éprouvai une espèce de
frayeur terrible en refermant *L'Attrape-Cœurs*. Je me
mis à trembler en pensant que j'aurais pu ne jamais
connaître une telle expérience. Je le relus aussitôt une
seconde fois pour m'assurer que je n'avais pas rêvé.

Il y a de fortes chances pour que vous ne tombiez
jamais amoureux d'une reine de beauté. Il se peut
que votre première histoire d'amour avec un livre,
vous préfériez l'oublier et n'en parler à personne
(mettons que vous en ayez pincé pour Paolo Coelho
ou Barbara Cartland). Ce n'est qu'ensuite, si vous
n'avez pas eu la chance d'être violé par Proust ou
Balzac, que vous pourrez vous promener en compagnie des grands auteurs et sortir en ville sans
craindre que l'on vous montrât du doigt.

Tout le monde peut le faire. Écoutez-les. Ils sont
tous en train de relire Flaubert, Stendhal ou
Dostoïevski et n'ont pour livres de chevet que
Chateaubriand, Homère ou Saint-Simon. Plus ils
sont bêtes et stupides, plus ils ont de bonnes lectures.
Pas un seul roman policier, pas une bluette, pas un
seul écrivain mineur à leur panthéon. Mais enfin, de
qui se moquent-ils au juste ? Pour la plupart, ils ont
des têtes à ne rien lire du tout, ou Spinoza entre l'ho-

roscope et les recettes-minceur de leur magazine. Je me souviens d'un animateur de jeu télévisé qui était parvenu à me dégoûter de lire *Au-dessous du volcan* tant le plaisir qu'il prétendait en avoir tiré semblait louche et artificiel, tant il cherchait à vous persuader que Lowry et lui étaient sur la même longueur d'onde. Au même titre que leur nouvelle voiture ou les différentes marques de leurs costumes, ils ont leurs grands auteurs et les sortent comme des cartes de visite. Mais où est la vérité dans tout ça ? Où trouver le moindre intérêt à les écouter tant leur grossière vanité les étouffe ?

Ainsi donc, il conviendrait de partager les mêmes élans, les mêmes passions pour telle liste d'auteurs incontournables ? Ai-je besoin de beaucoup de courage pour dire que Proust me fatigue et ne m'amuse pas du tout (même quand il fait catleya) ? Que Flaubert me laisse de glace ? Cela leur enlève-t-il une quelconque valeur et cela me rend-il infréquentable ? Et si nous cessions un peu de nous glisser tant bien que mal dans des moules dont la rigidité nous blesse et nous écrase inutilement ? Si nous cherchions à mieux nous connaître, à accepter notre liberté d'apprécier, à découvrir une véritable émotion qui ne serait pas semblable à celle du voisin ni soufflée par les gardiens du temple et le pâle petit troupeau de leurs serviteurs ? J'ai lu quelque part que Richard Brautigan était un petit maître mais j'ai oublié le nom de l'imbécile qui avait proféré cet impérissable jugement. Ne pourrait-on pas balayer ce genre d'insanités, ainsi que leurs pourvoyeurs, d'une main ferme et une bonne fois pour toutes ? Ne pourrait-on pas se délivrer de carcans insupportables et profiter du seul et véritable espace de liberté qui nous reste, à savoir de décider ce qui est bien ou mal, bon ou mauvais, sans avoir de comptes à rendre à personne ?

Un auteur n'a d'intérêt que dans la mesure où il révèle ce qu'il y a de meilleur et de plus subtil en nous. Si c'est Flaubert, eh bien, allons-y pour Flaubert. Mais si c'est Brautigan, ne jetez pas de coups d'œil inquiets alentour, et, au nom du ciel, ne vous laissez pas submerger par cet écœurant sentiment d'infériorité que rien ne justifie, si ce n'est le poids d'une culture si convenue et si largement partagée qu'elle en devient obscène. Nous sommes des oies que l'on cherche à gaver depuis l'enfance et le problème n'est pas de savoir si cette nourriture est bonne ou pas, le problème est qu'on vous l'administre de force. Je reviens aujourd'hui vers des auteurs dont on m'avait donné la nausée, Valéry et Pascal par exemple, et je dois ces nouvelles rencontres à des écrivains comme Salinger ou Brautigan qui m'ont ouvert le passage. Ils m'ont éduqué. Ils ont effectué sur moi les premiers attouchements, les premières caresses. Par la suite, tous mes rapports avec les livres ont été marqués par cet apprentissage et leur qualité ne dépend que de ma capacité à retrouver l'intensité de mes premières émotions. Car tout est là : retrouver le choc et la pureté des premiers instants. La magie du premier livre. Comme on cherche toujours à retrouver la première femme. Celle qui vous a tout donné.

Nous sommes, pour la plupart, des monstres d'ingratitude ou de parfaits ahuris. Mais nous n'avons pas la force de nous refaire une virginité. Peu importe que nous lisions mille ou dix mille volumes par la suite, nous ne ferons qu'aiguiser une lame trempée une fois pour toutes.

Par exemple, venir à Proust par Salinger n'est pas la même chose que venir à Proust par Maupassant ou Tchekhov. On n'entre pas par la même porte. On ne se comporte pas de la même manière. Lorsque j'avais vingt ans et que je débarquais à New York, je ne mettais pas les pieds dans la même ville qu'un fin connaisseur de Mallarmé ou de Minou Drouet. Et pourtant, nous devions nous y croiser et chacun devait y trouver son compte. Nous sommes issus de mondes si différents que toute espèce de rigidité et d'universalité en devient risible. Notre géométrie intérieure est définitivement non euclidienne. Même d'un sandwich au pastrami chaud, celui du Carnegie Deli, sur la Septième, nous n'aurions pu tirer matière à une dégustation objective. Car il n'y a aucun critère définitif, aucune loi immuable, aucun auteur taillé dans du granit. Penser le contraire équivaut à renier sa propre existence. À se fracasser contre des statues. Or, nous ne fréquentons pas le même espace, nous ne visitons pas les mêmes villes. L'émotion du premier livre a rendu toute espèce de communauté impossible. Nabokov lui-même prétendait n'apprécier que la première partie de la *Recherche* et tenait Salinger pour un des meilleurs écrivains de l'époque. Le choc de Nabokov est H. G. Wells et il n'aime pas Cervantès. Qu'ajouter de plus ?

Peut-être une dernière chose, qui semble nous éloigner du sujet mais qui participe du même état d'esprit, et qui finit par être agaçante : tous les grands livres auraient été écrits.

L'amusant, lorsque l'on considère ce genre de réflexion, n'est pas tant sa ridicule raideur que le sentiment d'effroi qu'elle implique face à une éventuelle remise en cause de pratiques culturelles acquises de haute lutte. On aimerait rassurer tous ceux qui veulent penser que la seconde moitié du XXe siècle augure de la stérilité des siècles à venir mais il y a des limites que l'amabilité ne saurait franchir et l'on est bien obligé d'abandonner en chemin les vieilles carnes qui ne veulent plus rien entendre.

Il faut une bonne couche de mauvaise foi et d'aveuglement hystérique pour ne pas admettre que, par exemple, Bret Easton Ellis vaut largement Balzac ou que Murakami en impose à Zola. Il y a déjà un bon moment que la vie entière d'un honnête homme ne suffit plus à la visite exhaustive de tous les monuments de la littérature mondiale. Ainsi, décréter que tous les grands livres ont été écrits n'a d'autre tâche que de limiter les dégâts, de se tenir prudemment à l'écart d'un foisonnement étourdissant dont on ne sait où il vous précipite. Un prompt demi-tour en direction des anciennes valeurs, s'il n'est pas très glorieux, aura du moins le mérite de sauver quelques têtes qui ne souhaitent pas confondre audace et témérité.

Je n'éprouve pas de tendresse particulière pour le charme désuet des vieux films, leur fraîcheur et leur naïveté. De même qu'en littérature, je n'ai pas le sentiment que nous soyons en train de régresser. Il n'y a pas à chaque fois un modèle pour nous faire de l'ombre, un ancêtre dont nous ne serions au mieux que de pâles copies. Je pourrais donner mille fois Maupassant en échange de contemporains dont le nom ne figure même pas au dictionnaire des auteurs.

Mais ce que je pense de Maupassant importe peu. Je n'ai pas davantage la prétention de dresser un inventaire ni d'effectuer un classement des dix meilleurs depuis les origines (les ai-je au moins lus ?). Mon intention, ici, est bien plus modeste. Elle se limite aux lectures d'un jeune homme. À quelques pierres blanches. Elles ne constituent pas aujourd'hui une citadelle inexpugnable mais elles restent pour moi les plus chères. J'y pense toujours avec émotion, nostalgie et leur voue une infinie gratitude.

Trouville, 31/12/99

Jerome David Salinger

L'Attrape-Cœurs

D'une certaine manière, je ne me souviens pas de ce qu'il y a avant *L'Attrape-Cœurs*. Je pense que quelques livres étaient déjà passés entre mes mains, mais je n'en ai plus le souvenir. Ma mémoire a tout effacé, comme si elle entendait lui faire place nette.

J'étais élève à Paris, au lycée Turgot, à cette époque et j'imagine que le ciel était gris et la peinture des murs d'un jaune pâle, assez triste. Je devais être en seconde et avoir quinze ou seize ans. Ce n'était pas un lycée mixte. J'avais à peu près le même âge que Holden Caulfield, le héros du livre.

« Si vous voulez vraiment que je vous dise, alors sûrement la première chose que vous allez demander c'est où je suis né, et à quoi ça a ressemblé, ma saloperie d'enfance, et ce que faisaient mes parents avant de m'avoir, et toutes ces conneries à la David Copperfield, mais j'ai pas envie de raconter ça et tout. »

Les murs jaunes et le ciel gris n'étaient pas indis-
pensables mais ils offraient un environnement pro-
pice à la lecture de *L'Attrape-Cœurs*. La sensation
d'enfermement, d'étouffement, de vivre dans un
monde où il ne se passait rien ne m'était pas étrangère et les filles de mon âge étaient enfermées je ne
savais où.

Ce livre n'allait pas me parler d'autre chose.

Mais pas de la manière dont aurait pu le faire un
adulte ou même l'un de ces écrivains que l'on ren-
contrait dans le Lagarde et Michard, mais d'égal à
égal et avec des mots qui étaient les miens. Ce fut
ma première rencontre avec *le style*, du moins tel
que je fus en mesure de le reconnaître car je n'avais
pas encore identifié chez d'autres cette manière particulière de s'amuser avec les mots, de faire briller
les phrases comme par magie.

L'Attrape-Cœurs racontait l'histoire d'un garçon
de dix-sept ans qui fait une fugue dans Manhattan
durant quelques jours, un peu avant Noël. Mais ce
qui était fantastique, c'était le regard qu'il posait sur
le monde et les réflexions que cette expérience lui
inspirait. C'était une inquiétude, une souffrance, une
colère, une lassitude que je connaissais bien. Jamais
encore je n'avais senti avec cette force la voix d'un
autre résonner à l'intérieur de ma poitrine.

Holden avait raison : ce monde n'avait rien de
merveilleux. Et je pensais qu'il était d'autant moins

merveilleux pour moi que je me trouvais de ce côté-ci de l'Atlantique et que les choses y étaient encore plus désolantes. Ce qui m'intéressait, à l'époque, à savoir la musique et les films, ce qui représentait les quelques lueurs d'un paysage qui semblait avoir sombré dans un brouillard fétide, les quelques bouées auxquelles je pouvais encore m'accrocher, tout cela venait d'Amérique. Ma rencontre avec Holden n'allait pas arranger les sentiments que je nourrissais à l'égard de mon pays.

Trop petit, trop vieux, trop endormi. Il était comme ces baisers qu'une vieille tante vous glisse dans le cou en vous reprochant de ne pas donner de vos nouvelles. C'était un pays chichiteux et collant. Il y planait un ennui effroyable. Le simple fait de respirer demandait un effort particulier.

Le monde des adultes ne m'intéressait pas. Peut-être encore moins que Holden. Qu'aurais-je fait d'une littérature qui ne s'adressait pas à moi ?

« *Chaque fois que j'arrivais à une rue transversale et que je descendais de la saleté de trottoir, j'avais l'impression que je n'atteindrais jamais l'autre côté de la rue. Je sentais que j'allais m'enfoncer dans le sol, m'enfoncer encore et encore et personne ne me reverrait jamais.* »

Il s'est passé une chose étrange, à mesure que j'écoutais Holden : j'eus tout à coup le sentiment que ce n'était pas moi qui allais vers lui, mais l'inverse. Que c'était lui qui me comprenait. Et c'était

une expérience étonnante, une expérience très troublante, à laquelle se mêlait un sentiment d'excitation
incontrôlable.

Je n'y étais pas préparé, et le choc en fut d'autant
plus fort.

Jusque-là, j'avais toujours pensé que la tâche d'un
écrivain, pour ce qui concernait l'écriture elle-même,
consistait à appliquer certaines règles, plus ou moins
les mêmes, en vue d'obtenir un produit aux qualités
irréprochables. Je dois avouer que la plus grande part
des subtilités de la langue m'échappait ou que je n'y
trouvais pas matière à m'extasier durant des heures.
J'avais l'impression que les écrivains se repassaient
une sorte de *savoir-faire* qui empêchait souvent de
les différencier les uns des autres en dehors de ce
qu'ils racontaient. J'estimais grosso modo qu'ils pui-
saient tous à la même source, qu'il n'y avait pas
trente-six manières de bien écrire, mais une seule, à
laquelle il convenait de se conformer si l'on désirait
en être. Salinger se chargea de me démontrer que je
n'avais rien compris.

Il m'administra un remède de cheval. Sans doute
le seul qui eût une chance de produire un effet,
compte tenu de la gravité de mon état.

Je ne me souviens plus si j'ai *réellement* ri et
pleuré en lisant *L'Attrape-Cœurs*, mais je sais que
plusieurs jours après avoir refermé ce livre, j'en
tremblais encore.

J'étais sans doute une proie idéale, à ce moment-là. Non seulement je n'étais pas sur mes gardes mais je n'avais aucune expérience de ce genre de terrain. J'étais comme un enfant qui découvre une machine infernale et se met à la retourner dans tous les sens.

Je finis par découvrir que je n'étais pas le seul à être tombé sous le charme de *L'Attrape-Cœurs*. Des millions d'exemplaires s'en étaient vendus à travers le monde et les errements de Holden Caulfield continuaient à faire des ravages. Sa désinvolture, son cynisme, son sens du pathétique, son humour, ses rêves de fuite et l'impuissance de sa révolte n'étaient pas tombés dans l'oreille de sourds. Nous étions très nombreux à y avoir succombé. Holden mettait nos blessures au jour et révélait nos angoisses en fonçant tête baissée contre le miroir d'un monde satisfait qui monopolisait la parole. Mais il y avait bien davantage. Holden avait *une voix*.

Ce n'était pas tant les choses qu'il disait que *la manière* dont il les disait. La sonorité, la syntaxe, le rythme de ses phrases. Dès les premiers mots se produisait un éblouissement, on était emporté par un courant, par une musique si inhabituelle que des frissons vous parcouraient des pieds à la tête.

À partir de ce moment, je me mis à regarder les écrivains d'un autre œil. Puis je relus *L'Attrape-Cœurs* plusieurs fois pour essayer de comprendre comment Salinger s'y était pris. Je le décortiquais, étudiais certains passages à la loupe ou par exemple je recopiais certaines phrases et m'amusais à déplacer un mot, changer une virgule ou supprimer une répétition pour m'apercevoir que la phrase ou le paragraphe entier s'écroulait alors, se desséchait et perdait ce que j'identifiais très facilement comme *sa musique* — la musique étant une matière que je maîtrisais beaucoup mieux.

Cet exercice, que je pratiquai durant plusieurs jours comme s'il se fût agi d'un de mes passe-temps favoris, me remplit d'admiration pour le travail de Salinger. Pour dire les choses plus franchement, j'étais estomaqué.

Bien entendu, on ne pouvait séparer le style de *L'Attrape-Cœurs* des épreuves que traversait Holden Caulfield. Mais enfin, même si sa vision du monde me touchait profondément, même si elle collait à la perfection avec les sentiments d'un garçon de mon âge, elle n'était pas une vraie révélation. Le cinéma et la musique étaient déjà passés par là. Non, la vraie révélation venait de l'écriture. Elle était si originale, si différente de tout ce que je connaissais et en même temps si évidente. Il me semblait qu'elle n'avait peur de rien, qu'elle était un éclair de pure énergie. Elle possédait ses propres règles et n'obéissait qu'à sa propre ambition. Elle était un mélange de souplesse, de fragilité et de force. Elle était la véritable et imparable réponse de Holden à ce fichu monde. Et la nôtre, par la même occasion.

Je me répétais aussi : quel courage ! J'avais beau

ne pratiquement rien connaître de la littérature, je sentais que Salinger s'était attaqué à un mur de béton qu'il avait fini par renverser et qu'un parfum de sacrilège se dégageait de l'entreprise. Plus tard, je découvrirais que d'autres écrivains avaient accompli un travail de même nature, parfois bien avant Salinger, mais jamais plus ma surprise et ma confusion ne furent comparables.

Si j'accorde aujourd'hui ma préférence aux écrivains qui effectuent avant tout (je devrais dire *pardessus tout*) un travail sur la langue, c'est à Salinger que je le dois. Il n'y a pas de tâche plus difficile qu'un écrivain puisse s'imposer. Et à y bien regarder, je n'en vois pas d'autre. Raconter une histoire, quitte à lui faire subir tous les tourments imaginables que la « modernité » impose d'une époque ou d'une école à l'autre, de même que mettre en avant deux ou trois idées dont l'extrême importance n'est pas mise en doute, voilà qui est à la portée d'un très grand nombre et au mieux fait avancer la littérature d'un pas chancelant. Quant à se frotter à la matière, livrer le seul combat qui ait une raison d'être et suppose accorder au style la seule place qui lui convienne, c'est-à-dire la première, peu d'écrivains ont le cœur de s'y consacrer. Car on ne fait pas, comme Monsieur Jourdain, du style sans le savoir. C'est un travail long et pénible, dont on ne reçoit guère de récompenses. La plupart du temps, un écrivain est félicité pour les mauvaises raisons, rarement pour la magie de son écriture dont on ne sait trop quoi dire. Parler du style d'un écrivain est un exercice périlleux qui vous engage personnellement. Apprécier une histoire ou trouver à se mettre sous la dent un sujet polémique apparaît alors comme une bouffée d'oxygène que l'on s'empresse de partager.

Le problème vient également du fait que tous les écrivains s'imaginent avoir un style. Vous n'en verrez jamais un prétendre qu'il écrit mal et n'a reçu aucun don du ciel. Tous ceux qui pensent qu'il est question d'une grâce réagissent ainsi. Ils constituent un fleuve énorme, sombre et mou comme une traînée de lave dont la température, étrangement, avoisine le zéro. Les autres continuent à transpirer sur la rive. Ils savent que rien n'est acquis d'avance, sinon le vague et inutile talent qui consiste à reproduire ce maudit *savoir-faire* ad nauseam avec le sourire satisfait d'un patron d'Ikea.

Le style n'est pas un don naturel, contrairement à l'élégance ou à la faculté d'occuper un espace (de préférence médiatique). Si, pour simplifier, l'on déclarait que le style est le pouvoir de rassembler toutes les expériences d'un homme en une seule phrase, on prendrait alors la mesure de la chose. On verrait que rien ne peut être laissé au hasard ou soumis à des règles universelles. On verrait la difficulté de choisir un mot, de placer une virgule, de prendre différentes sortes de mesures. On verrait comment un écrivain construit une cathédrale ou bâtit un sublime opéra et l'on comprendrait que sans le style, sans le pouvoir de faire jaillir sa voix au-dessus des ronces, un écrivain n'est pas grand-chose. Nous avons de bons chroniqueurs, de bons scénaristes, de bons médecins de l'âme, de parfaits gentlemen et quelques visionnaires, mais combien de vrais créateurs, combien de véritables artistes ? Combien ont été assez fous pour ne pas reculer devant l'ampleur de l'obstacle ?

Accoucher d'un style (la naissance de la voix renverrait quant à elle au premier cri déchirant les poumons du nouveau-né) n'est pas une promenade de plaisir. Car non content de tailler sa propre voie dans la jungle, au risque de s'y engloutir, il faut assumer sa différence. Et il y aura beaucoup de solitude et beaucoup d'incompréhension à la clé.

Au moment où je découvris *L'Attrape-Cœurs*, on n'en savait pas beaucoup sur Salinger, sinon qu'il s'était plus ou moins retiré du monde et vivait cloîtré dans sa maison au fin fond du New Hampshire. J'imaginais que c'était là tout ce que l'on gagnait à s'éloigner de la norme : de la sueur et des larmes. Et peut-être n'avais-je pas tout à fait tort.

Quoi qu'il en soit, Salinger me simplifia la vie. Je pouvais désormais entrer dans une librairie en sachant ce que je venais y chercher. Je prenais un livre et, sans me soucier de ce qu'il racontait, j'en lisais un passage au hasard. Il me semblait que je pouvais à présent reconnaître un écrivain au premier coup d'œil. En fait, ils n'étaient pas si nombreux. J'attrapais surtout des crampes dans les bras.

L'exercice me permit de me rendre compte que ce n'étaient pas les idées qui manquaient. Au hasard de mes bribes de lecture, je tombais parfois sur des choses qui me rappelaient les sentiments que Holden éprouvait face à l'hypocrisie du monde et son imposture. Il n'était pas le seul à décrypter les codes, à ne rien comprendre aux filles, à considérer l'enfance comme un paradis perdu. Mais là où Salinger prenait son élan et s'envolait vers les cimes, les autres se satisfaisaient d'une balade paresseuse et ternissaient tout ce qui passait entre leurs mains.

Je me suis longtemps interrogé sur la fascination que les écrivains américains ont exercée sur moi. Si elle s'essouffle aujourd'hui, bien que Philip Roth et Bret Easton Ellis soient toujours au rendez-vous, je ne le dois pas d'avoir gagné en intelligence ou de m'être débarrassé d'un goût douteux pour le folklore : les Américains sont simplement moins bons depuis quelque temps. À force de lorgner sur l'Europe, ils ont pris tous nos défauts (le principal étant de ver-rouiller les acquis). Il se trouve néanmoins que lorsque je découvris le charme des librairies, tous les livres que j'en rapportais avaient traversé l'Atlantique. Mais cela ne me gênait pas beaucoup. Comme je n'imaginais pas qu'un jour l'on viendrait me chercher des poux dans la tête à propos de l'étroitesse de mes goûts littéraires, je n'hésitais pas à leur consacrer tout mon temps. La raison de cet engouement ? Ces écrivains avaient une voix. Il y avait un vrai travail sur l'écriture. Un travail qui ne visait pas à flatter l'esprit du lecteur mais son sens de la musique. Un travail sur l'intonation. Sur la vibration et la modulation d'une phrase. Sur sa beauté cachée. La plupart d'entre eux n'avaient rien d'autre à vous vendre. On avait l'impression qu'ils étaient devenus écrivains par nécessité, par la force des choses, et non pour avoir fréquenté le Quartier latin de long en large. Ils travaillaient à l'oreille, et non pas à la baguette. On sentait chez eux un besoin d'aller au plus juste, d'enraciner l'écriture à la vie, d'en faire quelque chose d'utile et d'indispensable. De ne pas œuvrer pour la reconnaissance de leurs pairs mais pour le bien du pays tout entier, ce à quoi la littérature est destinée.

Le style, malheureusement, ne souffre pas la dissection. Au premier coup de bistouri, la magie s'envole et s'en va rejoindre le territoire des âmes. On pourra ainsi me reprocher de parler dans le vide et de n'apporter aucune preuve de ce que j'avance. Certes. Mais je ne suis pas là pour vous démontrer quoi que ce soit. Il ne s'agit que d'une conversation amicale et détendue entre grandes personnes. Salinger démarre son livre par « *Si vous voulez vraiment que je vous dise...* ». Voulez-vous me voir tout saccager ? Voulez-vous que nous mettions des masques et que nous nous penchions sur chacun de

ces mots pour en étudier la place et la consistance ?
Voulez-vous que nous parlions de chacune des étin-
celles qu'ils produisent comme si nous étions des
professionnels au cœur glacé ?

Et puis, soyons sérieux une minute : qui donc ose-
rait prétendre que le style n'est qu'une question de
musique ? Il se trouve, parmi les candidats à la littérature, des gens prêts à tous les sacrifices pour parve-
nir à leurs fins. Donnez-leur une montagne à avaler,
promettez-leur des nuits sans sommeil et des années
de pratique laborieuse, ils s'avanceront malgré tout
comme un seul homme si le style est au bout du chemin. Or, s'il n'était question que d'apprendre le sol-
fège, on voit mal ce qui empêcherait ces bons élèves
d'écrire de bons livres. Il est donc temps d'ajouter
que le style est *à la fois* une musique et une manière
de regarder les choses, ou si l'on préfère une attitude
ou encore une façon d'être, ou un *point de vue*, dans
le sens où il s'agit de choisir la place, l'emplacement
à partir duquel on observera le monde.

Je ne dis pas ça pour décourager qui que ce soit.
Mais simplement avec l'espoir d'éclairer ce que je
tâchais d'exprimer plus haut, à savoir que le style
permet de concentrer toutes les expériences d'un
homme en une seule phrase. Et je ne connais pas de
professeur capable d'enseigner ce tour de force. Je
connais par contre quelques écrivains qui n'ont *que* la
musique mais j'hésite à les traiter de raclures de bidet :
je pense qu'ils sont assez malheureux comme ça.

Louis-Ferdinand Céline

Mort à crédit

Je ne savais pas qui était Céline. Personne ne m'en avait parlé. C'est dire à quel point je ne connaissais pas grand-chose. Autour de moi, il semblait plus urgent de trouver un moyen pour se procurer le dernier Bob Dylan avant les autres que de se plonger dans la littérature de l'entre-deux-guerres (mais l'inverse ne met pas non plus à l'abri d'un manque).

Je ne savais pas qu'il était le salopard dont on me dresserait le portrait par la suite. Et c'est un peu mon problème avec lui car je l'ai immédiatement aimé et n'ai pu me défaire de ce sentiment, malgré que j'en eusse.

Il représente pour moi le styliste absolu. C'est trop me demander que de mettre sa haine des juifs dans la balance. *Je ne comprends pas*, sinon d'une manière abstraite, ce qu'était ce monde de fous furieux avant ma naissance. J'imagine mal ce que pouvait être un monde peuplé de millions de connards. La haine, développée à ce point-là, est un sentiment que je ne connais pas. Je sais qu'il existe comme je sais qu'il existe des milliards d'univers semblables au nôtre, mais cela ne m'avance pas beaucoup.

La lecture du *Voyage* m'avait laissé perplexe. C'était un monde dans lequel je ne me plaisais pas, à la fois trop proche et trop éloigné, et plein d'une fureur qu'encore une fois j'avais du mal à me représenter. Mais l'écriture m'avait intrigué. Elle avait eu sur moi l'effet d'un alcool fort dont on ne sait si la brûlure est agréable ou non tandis qu'il se répand déjà dans votre cerveau. Je me plongeai alors dans *Mort à crédit*.

Je ne savais toujours pas qui était Céline. Mais lorsque je refermai ce livre, le mal était fait. J'étais persuadé d'avoir découvert le plus grand écrivain français et je ne pouvais plus revenir en arrière.

Je ne sais pas si beaucoup de gens ont pratiqué Céline en ignorant tout du personnage. Je me suis trouvé dans cette situation. *Mort à crédit* et le *Voyage* ne m'avaient pas donné l'impression de côtoyer un monstre. Je croisais dans la rue des rescapés de la Première Guerre qui me paraissaient encore plus acariâtres et mal lunés. J'imaginais Céline comme une espèce de misanthrope, peut-être même un humaniste contrarié par l'éternelle sauvagerie de ses semblables. Je ne me souviens plus si ces deux livres contenaient déjà des propos antisémites. Si c'était le cas, cela ne m'avait pas frappé. J'en retenais plutôt une charge contre l'exploitation des pauvres par les riches, des faibles par les forts, une charge contre le pouvoir de l'argent qui était source de tous les maux.

On sait quelle fabuleuse puissance incantatoire possédait Céline. Sa voix balayait tout et charriait toutes les horreurs et les merveilles du monde. J'étais pétrifié devant un tel mouvement. Mais aussi en décalage par rapport à la nature et à l'objet de ses imprécations. Je ne vivais pas dans le monde qu'il vomissait. Si bien que je ne le prenais pas à la lettre. J'aimais sa rage et sa fureur comme on aime regarder une tempête dont on est à l'abri. Des têtes qu'il faisait rouler sur le sol, du jeu de massacre auquel il se livrait, je ne gardais que la fantastique leçon d'écriture.

À la différence de Salinger et des autres qui ont suivi, Céline ne m'a rien apporté sur le plan humain. En dehors du style, je n'ai tiré de lui aucun enseignement, rien qui m'ait aidé à trouver ma place parmi les autres. Eût-il été un résistant de la première heure et le meilleur ami des juifs que ça n'aurait rien changé. Le Ferdinand de *Mort à crédit* n'exerçait pas sur moi, on l'imagine sans peine, le même attrait que Holden Caulfield. Ses pensées n'étaient pas les miennes, je ne parlais pas comme lui, je n'agissais pas comme lui. Je n'ai jamais considéré Céline comme un ami, ni même comme un proche et il est le seul de tous les écrivains qui m'ont marqué pour lequel je n'éprouve pas un sentiment d'attachement indéfectible.

Céline n'est pas un écrivain qui vous tend la main. Il est celui qui vous enfonce la tête plutôt que de vous repêcher. Il est l'Ange Exterminateur. Le plus puissant d'entre tous. On peut imaginer que sa noirceur est à la mesure de sa souffrance. Quand je n'avais rien à faire, je passais devant chez lui, à Meudon, et je sentais ma tête se rentrer entre mes deux épaules. J'avais l'impression qu'il s'agissait d'une maison hantée, de laquelle s'échappaient des vibrations terribles. Plus tard, après sa mort, lorsque j'y pénétrai, je me sentis oppressé. Céline a toujours été pour moi un maître effroyable. La passion que j'ai pour lui se double d'un côté morbide.

Lorsque j'ai lu *Bagatelles pour un massacre*, je me suis dit que j'avais affaire à un cinglé. Mais il y avait aussi ces documents de l'époque qui témoignaient de la folie et de l'abrutissement ambiants. D'une manière ou d'une autre, la haine était un sentiment largement partagé. Le pouvoir de Céline, cette espèce de génie monstrueux de la langue dont il était l'unique et irascible détenteur, avait le chic pour mettre le feu à tout ce qu'il approchait. Chez lui, la riposte ou même l'attaque ne pouvaient être graduées. Et c'était un temps où l'on s'arrachait un morceau de colline à coups de millions de morts. Et peut-être que certains juifs faisaient vraiment chier, comme aujourd'hui certains cathos font vraiment chier et un jour la souffrance et la misère des gens finissent par vous retomber dessus, et la souffrance et la misère peuvent transformer vos voisins en chiens enragés, capables des actions les plus immondes. Vous leur écrasez le pied et ils vous tranchent la gorge. Les têtes se baladent au bout d'une pique. Faites confiance à la bêtise et à la cruauté humaines et vous ne serez pas déçu.

Céline n'était pas un esprit supérieur, loin de là, et il l'a amplement prouvé en rédigeant ses pamphlets. Tout le monde sait qu'il y a deux Céline : celui qui se tenait au fond de la salle et gueulait « *Et la connerie aryenne, tu sais ce que c'est ?!!...* » au cours d'une réunion fasciste, et l'autre, celui qui cristallisait toute la jalousie, toute la haine, toute la stupidité et toute la veulerie du plus grand nombre. On peut imaginer que les rapports entre les deux n'étaient pas simples.

Il y a de l'apprenti sorcier dans le cas de Céline. On n'est jamais sûr de contrôler certains pouvoirs. Ses détracteurs, semble-t-il, n'ont jamais bien pris la mesure des forces auxquelles cet homme était confronté. Pourtant, Dieu sait que le travail qu'il a accompli relève de l'entreprise surhumaine et donne ainsi une idée de l'état de quasi-possession dans lequel il devait se trouver. Je pense que Céline était incapable de maîtriser le flot brûlant qui jaillissait hors de lui et je pense que ce torrent asséchait tout le reste, se servait de lui comme d'un passage pour inonder des siècles de littérature.

Céline a dynamité l'écriture. Malheureusement, on ne trouve pas une telle quantité d'explosifs dans les beaux quartiers, ni même dans les couloirs des maisons d'édition. Une telle quantité d'énergie ne peut provenir que du peuple (le travail de Joyce est d'une autre nature) et Céline était un homme du peuple. Dont l'une des qualités, à l'époque, était d'être antisémite. Des années plus tard, Céline aurait vomi sur les Arabes ou sur les Noirs avec le même aveuglement. Être antisémite, au début du siècle, devait être comme aimer le foot aujourd'hui : se rallier au plus grand dénominateur commun. Céline s'y est vautré. Mais on a les grands auteurs que l'on mérite et la France de ce temps-là ne méritait pas mieux. Céline y a plongé ses racines et il est devenu l'écrivain du Mal. Je dirais presque, à son corps défendant. Bernard Frank le comparait, il y a peu, à un chauffeur de taxi : un type en train de râler et dont on ne verrait que le dos, car Céline ne vous regarde pas en face. Bernard Frank a comme ça, de temps en temps, des espèces d'illuminations.

Je dois cependant avouer une chose, afin de tempérer mon excès de sympathie pour cette période et rendre justice à la minorité qui sauvait l'honneur de ce pays en ne cédant pas à ses démons : mon grand-père maternel vivait à la maison. Et il représentait si bien ce monde de dégénérés que je ne lui adressais même plus la parole.

Je ne vois pas très bien par quelle perversion de l'esprit l'on ne reconnaîtrait pas l'immense talent de Céline sous prétexte qu'il déraillait complètement (de la même façon que l'on peut s'entêter à ne rien trouver dans les *Cantos* d'Ezra Pound). En quel honneur ? Cela signifierait-il que pour apprécier Céline il faille partager son délire ? Être un grand amateur de Céline, plutôt que de Roger Vailland, révèle-t-il quelque chose de louche ?

Que la littérature fasse peur et nous entraîne parfois au milieu des ténèbres, il faut s'y résigner. Que le cœur de l'homme soit aussi le repaire d'un monceau d'ordures n'est pas plus surprenant. Mais est-il question de chercher des excuses à Céline ?

À moins de collectionner les croix gammées et d'en pincer pour les vieux oripeaux qui moisissent dans les armoires de la décrépitude, pratiquer Céline suppose de ravaler ses haut-le-cœur et, en général, aucun écrivain ne se relève d'un tel handicap. Ce que je vais dire ressemble à une triste plaisanterie et c'en est une, d'un certain point de vue, mais pas tant que ça, au bout du compte : un homme qui éprouve un tel amour pour sa langue ne peut pas être complètement mauvais. Il y a cette espèce de provocation chez Céline, quelque chose que je ressens comme une sorte de « Oserez-vous me suivre ? » qu'il lance-

rait d'un air grimaçant et en guise d'injonction à lui
emboîter le pas sur les chemins boueux. Comme
pour tester notre résistance et notre capacité à payer
un prix qu'il a lui-même payé au centuple. Comme
si la véritable monstruosité qu'il voulait nous révéler
était la monstruosité de son travail et que, se déchirant, il voulait nous déchirer, *nous faire bouffer sa
merde* afin de se venger d'avoir été choisi entre tous
pour accomplir une œuvre dont la démesure le
détruirait (Sade provoquerait chez moi la même
impression confuse quelques années plus tard).

Vouloir en finir avec Céline est présomptueux : il
nous a donné mille raisons de l'enterrer une bonne
fois pour toutes mais il est toujours là et cela tient du
prodige. Il est là qu'on le veuille ou non et plus rien
ne peut l'abattre. Les branches pourries sont pourries
mais on ne voit pas se déclarer une quelconque gangrène.

On ne peut davantage se débarrasser du problème
en réduisant Céline à son style. Je m'y cramponnais
autrefois quand une conversation finissait par tourner
à l'aigre et que l'on me renvoyait l'image de l'antisémite à la figure. J'osais à peine expliquer qu'il
était capable de me faire rire aux larmes et que si le
raccourci juif = toutes les misères du monde me
semblait grotesque, l'exploitation de l'homme par
l'homme ne me laissait pas indifférent. Céline était
trop sombre et trop brutal pour un garçon de mon
âge, mais sa noirceur me fascinait. Je me plongeais

dans ses livres en courbant l'échine. Je leur trouvais une beauté douloureuse, une luminosité tragique. Parfois je me sentais léger et parfois j'étais écrasé contre le sol glacé.

« *Au commencement n'était pas le verbe. Au commencement était l'émotion.* » C'était aussi avec ce genre de déclaration que Céline me coupait le souffle. Je n'avais pourtant aucune velléité d'écriture à ce moment-là, mais une quinzaine d'années plus tard, lorsque j'allais me décider, tout ce que Céline avait pu dire sur le style resurgirait dans mon esprit avec une précision étonnante. Il était un grand professeur. Il vous promettait les pires douleurs, les affres d'un travail acharné qu'il s'imposait à lui-même, une vie de forçat et certains retours de manivelle, mais il éblouissait le chemin et marquait votre inconscient au fer rouge. Et il ne se contentait pas d'un cours théorique : il vous mettait le résultat sous les yeux.

Ce n'est pas tant le *Voyage* que *Mort à crédit* devant lequel je restai sidéré. Au grondement sourd du premier, concernant le style, succédait l'explosion étourdissante et inévitable du second. Il y avait comme un ricanement qui planait au-dessus du livre, comme un chant d'amour décalé, comme une onde victorieuse : Céline avait empoigné notre vénérable langue à la gorge et l'avait transfigurée. Une sorte de déclaration d'amour en forme de cassage de gueule.

Je pense toujours à ce film, *Casque d'or*, lorsque

l'on parle de Céline. On n'y voit pas James Dean ou Marlon Brando. Reggiani ne portait pas de Levi's ni de tee-shirt et il dansait sur de drôles de musiques. Il employait des mots d'argot que je ne comprenais pas, contrairement à ceux de Salinger. Il avait même *une casquette* vissée sur le crâne.

Le rythme de Céline n'était pas le mien. Pour une question de tempo, de respiration, de chromatisme, de palpitation interne, qui font qu'un écrivain s'empare de votre être tout entier et pince votre corde et devient alors beaucoup plus qu'un ange tutélaire, je ne pouvais lui accorder davantage qu'une admiration sans bornes. Céline faisait le grand écart entre deux mondes. Comme les cubistes, il m'impressionnait, me subjuguait et même plus encore, mais il n'enfonçait pas les dernières portes de ma sensibilité. Son rythme n'entrait pas en harmonie avec le mien. Je me sentais plus proche de Matisse que des cubistes.

Et pour dire les choses autrement, plus proche des Rolling Stones.

La puissance phénoménale de Céline soulevait à chaque pas des blocs de roche tout entiers et son souffle aplatissait les forêts autour de lui. Je vivais alors avec une femme qui avait deux fois mon âge et qui m'apprenait beaucoup de choses. Puis un jour, elle tâcha de m'expliquer que je l'aimais mais que je n'étais pas amoureux d'elle. Je ne compris pas tout de suite ce qu'elle essayait de me dire.

Je rencontrai alors une Italienne de vingt ans qui

me foudroya d'un seul regard. Je pouvais rester assis à la regarder pendant des heures. Je n'avais pas besoin qu'elle me fasse la conversation. Et il me semblait tout à fait normal de la voir marcher pieds nus dans la rue. J'y étais préparé depuis toujours.

Céline a eu le chic pour se transformer en martyr. Il le désirait sans doute depuis le début. À un degré moindre, beaucoup d'écrivains ont cette tendance masochiste, ce penchant pour l'incompréhension et le rejet, même si un sursaut de lucidité les pousse à arrondir les angles. La création est un travail solitaire qui s'effectue bien souvent, et dans le meilleur des cas, sous la bannière du « Seul contre tous », ce qui ne simplifie pas les choses.

Quand on demande à Nabokov ce qu'il pense de la déclaration de Tolstoï « La vie est une tartine de merde que l'on est obligé de manger lentement », il répond que quant à lui, sa vie est du pain frais avec du beurre de campagne et du miel des Alpes.

On croirait une publicité pour un week-end dans un centre de remise en forme avec une séance de bronzage en prime. Avec Céline, le portrait était moins souriant. Et j'étais à un âge où l'on se cherche encore des héros, des modèles que l'on puisse épingler aux murs (celui d'un gars en short de tergal, arborant un sourire bienheureux sur fond de pâturage, laissait perplexe). En punaisant une photo de Céline dans ma chambre, je décidai qu'un véritable écrivain était un hors-la-loi, un individu ombrageux et asocial par la force des choses, qui n'avait de comptes à rendre qu'à lui-même et livrait son combat en solitaire. On connaît la prégnance de ces images, sanctifiées par la fringale de l'adolescence et comme il est difficile de s'en débarrasser (si tant est qu'il le faille). Aujourd'hui encore, j'éprouve un certain frisson à cette évocation romantique de l'écrivain. Salinger, se retirant du monde, m'avait décoché les premières flèches. Céline termina le travail. En fait, la littérature commençait à m'exciter sérieusement.

BLAISE CENDRARS

Du monde entier

Un jour, je découvris que 1961 avait été une très mauvaise année pour moi. En 1961 moururent Céline, Hemingway et Cendrars.

Comme j'avais à peine douze ans, je ne me suis rendu compte de rien.

Sept ans plus tard, dans un YMCA de New York, je trouvais sous mon lit un de ces petits livres qu'éditait Gallimard dans la collection « Poésie », avec la photo de l'auteur en bandeau, format identité, déclinée sous des couleurs différentes. L'ouvrage portait le nom et l'adresse de son propriétaire, mais je ne l'ai jamais renvoyé. J'ai l'impression qu'aucun des livres de ma bibliothèque ne m'appartient autant que celui-là.

Je le lus deux fois dans la nuit.

Je lisais beaucoup de poésie, à cette époque. J'avais remarqué qu'un jeune homme installé à une terrasse, absorbé dans ce genre de lecture, obtenait un certain succès auprès des femmes. Par exemple, lire du Walt Whitman en anglais rendait les choses presque trop faciles. Et les sonnets de Shakespeare, quand j'y pense !... Mais il n'y avait pas que les femmes. Il y avait le côté pratique. En général, la poésie se prêtait à la vie citadine, s'accommodait de petits moments creux, de quelques stations de métro, d'une file d'attente devant un cinéma ou d'une giboulée. Tout ce qu'un roman ne voulait pas subir.

Déjà, avant de lire Cendrars, j'avais décidé que la poésie était une saine nourriture. Un poème que je lisais le matin pouvait m'accompagner pour le reste de la journée et décider de mon humeur. Quelquefois, s'il n'était pas trop long, je l'apprenais par cœur. J'avais une bonne mémoire pour la poésie. Les mots y avaient une consistance particulière, ils étaient agréables dans la bouche. Les phrases avaient un rythme. Elles étaient douées d'une énergie inhabituelle. Elles n'étaient pas simplement empilées et entassées sur des kilomètres, frappées d'une pâleur exsangue, mais vives et luisantes comme des serpents.

La poésie est la meilleure école. Si l'on veut savoir à quoi l'on joue, il n'y en a pas d'autre. Si l'on veut comprendre quelque chose à la magie, si l'on veut apprendre le respect et l'amour de l'écriture, la poésie est le passage obligé. Et à défaut de la pratiquer, la consommer au maximum. Il n'y a qu'avec la poésie que l'on peut apprécier les différentes qualités d'un mot, ses différentes propriétés et ses relations avec les autres. De même que la vitalité d'une phrase, les éléments de sa circulation interne, l'intérêt de ses articulations, la nature de son rythme.

Il suffit de lire quelques lignes pour savoir si l'on a affaire à un bon écrivain. Le courant doit passer d'une phrase à l'autre et la respiration ne doit pas s'interrompre. On doit sentir la *solidarité* de la matière. Un livre doit être comme une armée en marche, se mouvoir comme un seul homme. Dans la plupart des cas, il y a une perte d'énergie alors qu'il devrait y avoir une production d'énergie. De la source vers l'embouchure.

Même les mauvais poètes en sont conscients. Ils savent qu'ils doivent trouver la bonne foulée, le bon souffle, et garder des forces pour accélérer. Préparer la montée en puissance. Le retour à la ligne considéré comme une profession de foi.

Tout homme sain d'esprit devrait posséder une bonne valise.

Et lire Cendrars.

Il est difficile de savoir quelle partie du monde il n'a pas explorée, quels métiers il n'a pas exercés, quelles aventures il n'a pas vécues. Il est difficile de savoir quand il trouvait le temps d'écrire. Et comment il s'y prenait pour rouler ses cigarettes d'une seule main.

Henry Miller déclarait : « *Il m'est arrivé en lisant Cendrars — et je ne suis pas coutumier du fait — de reposer le livre pour pouvoir me tordre les mains de joie ou de tristesse, d'angoisse ou de désespoir.* » Lorsque je terminai ma lecture (je travaillais alors dans une librairie de Rockefeller Center où je restais enfermé toute la journée) je descendis jusqu'à Battery Park et m'installai sur un banc pour voir le jour se lever.

Avec Cendrars, on a besoin de respirer, on a besoin de marcher, on a besoin de regarder autour de soi. Avec Cendrars, on a peur de manquer quelque chose. On veut sauter dans un train ou dans un avion et l'immobilité vous blesse. Avec Cendrars, le monde a des allures d'éblouissement perpétuel, de bouillonnement, d'activité fiévreuse. Même quand elle est monstrueuse, la vie semble magnifique.

Cendrars est une espèce de virus. Un jour, je me suis engagé comme docker, sur le port du Havre. J'en profitais pour discuter avec les capitaines des cargos afin d'obtenir une traversée de l'Atlantique à peu de frais. Cela me paraissait avoir un autre panache que d'acheter bêtement un billet d'avion (ce que je fis un mois plus tard, après m'être levé tous les matins à cinq heures pour décharger des cargos qui repartaient sans moi). Bref, ce genre d'idée lumineuse, je la dois à Cendrars. J'espérais sans doute me voir attribuer une couchette près de la salle des machines, me faire bercer par les battements sourds du grand cœur d'acier, partager la vie rude des hommes d'équipage et, pourquoi pas, essuyer quelque grain au large de l'Islande tout en jouant ma paye à l'occasion de sombres parties de cartes... Lire Cendrars peut vous rendre à moitié fou.

Mais cette folie, je ne voudrais en guérir pour rien au monde. On dit que lorsqu'il sortait de chez lui, levait les yeux au ciel et apercevait un avion, il tournait les talons et rentrait aussitôt pour boucler sa valise. L'appel du large, sans doute, celui des contrées lointaines, de l'aventure et de l'inconnu sous toutes ses formes. Et il y avait la littérature, pour ne rien gâter, les carnets de route, et tout ce qu'il écrivait sentait le cuir, la sueur, les épices, les fruits mûrs et résonnait du ronflement des moteurs qui le transportaient d'un continent à l'autre, en bateau, en train, en avion, en voiture, et le jetaient, comme il disait, au cœur du monde, là où la vie jaillissait en un geyser hallucinant.

L'homme libre, par excellence. L'homme lucide aussi :

« *Moi, l'homme le plus libre du monde, je reconnais que l'on est toujours lié par quelque chose et que la liberté, l'indépendance n'existent pas, et je me méprise autant que je peux, tout en me réjouissant de mon impuissance. (...) La sérénité ne peut être atteinte que par un esprit désespéré, et pour être désespéré il faut avoir beaucoup vécu et aimer encore le monde.* » (*Une nuit dans la forêt*, Édition du Verseau, Lausanne, 1929.)

William Saroyan, que je lisais également à cette

époque, insistait sur ce dernier point : un écrivain doit être *amoureux* du monde. Comment ne le deviendrait-on pas en suivant Cendrars ? Comment pouvait-on tenir en place ?

Et non content de voyager, non content d'écrire, Cendrars fréquentait les autres artistes, les écrivains, les peintres, les musiciens, les cinéastes et *tutti quanti*. Il ne s'arrêtait jamais. Si d'aventure il partageait une petite chambre d'hôtel avec un inconnu, il tombait sur Charlie Chaplin. S'il tournait un film, c'était avec Abel Gance. S'il lui venait l'idée de monter un ballet, c'était avec Darius Milhaud. S'il collaborait avec un peintre, c'était Sonia Delaunay. Tout cela était décourageant. Je finissais par me demander si je n'étais pas né à une mauvaise époque.

Je n'ai jamais rêvé d'être un écrivain. Pourtant, j'écrivais déjà à cette époque. Ou plutôt, je remplissais des carnets, mais je n'avais aucune idée derrière la tête. C'était un genre que je me donnais, et rien d'autre. Être écrivain ne signifiait rien pour moi. Musicien, acteur, journaliste..., oui, pourquoi pas, mais écrivain ?... Quel genre de vie était-ce au juste ? Qu'y avait-il d'excitant à décliner cette occupation solitaire du matin au soir ? Alors oui, j'écrivais, mais je regardais ailleurs. Je n'avais même pas pour ce travail de tendresse particulière, comme certains l'éprouvent pour leur journal, au point que j'égarais

mes carnets au fur et à mesure sans y prendre garde
(je ne vous ferai donc pas le coup des œuvres de jeu-
nesse, de ces quinze années d'égarement dont les
vieux auteurs finissent toujours par nous livrer la
bouillie insipide, incapables qu'ils sont de se moquer
d'eux-mêmes).

Quoi qu'il en soit, la lecture de Cendrars trans-
forma le contenu de mes carnets : je me mis à écrire
en vers libres. Du moins j'essayai. Et comme je
n'avais aucune ambition littéraire, je ne m'effrayais
de rien et m'amusais beaucoup. L'écriture devenait
un jeu.

Avant cela, je ne me souciais pas de la manière
dont je rédigeais une page. Je ne pratiquais cet exercice que pour la bonne forme de mon esprit : déjà,
en ce temps-là, on racontait que celui qui ne faisait
pas travailler ses méninges les atrophiait, et donc, je
m'imposais une demi-heure d'entraînement par jour.
Et ce n'était pas désagréable. Je devais m'efforcer au
calme, à la concentration, à la douloureuse mise en
forme de mes pensées. Une demi-heure n'était pas
de trop. J'aimais bien fumer et prendre de l'acide en
ce temps-là, mais comme je craignais quelques effets
secondaires irréversibles, je tâchais de prendre soin
de mon cerveau en lui proposant ce travail quotidien.

Mais il s'agissait d'un travail. Qui n'avait aucun
rapport avec mes émotions littéraires. Je ne faisais
même pas le rapprochement. Personne ne me
demandait d'y jeter un œil mais je l'aurais accepté

volontiers tant il n'y avait rien à en dire. On ne pouvait y trouver aucun ton, aucun style, je ne pouvais même pas en rougir. N'importe qui pouvait écrire ce genre de choses. Jusqu'au jour où je commençai à me prendre pour Cendrars.

À partir de ce moment, je découvris qu'écrire n'était pas facile. Qu'il ne suffisait pas de voyager et de rouler ses cigarettes d'une seule main pour écrire *Les Pâques à New York*.

Je crois que l'on devient écrivain le jour où l'on ne parvient plus à écrire. Le jour où le moindre mot commence à vous poser un problème.

Je me souviens de la première fois : je suis resté une journée entière avec le stylo à la main et je n'ai pas été capable de coucher une simple phrase sur le papier (j'ai néanmoins compris la justesse de cette image et le minimum d'humilité qu'elle impliquait). J'étais paralysé. Comment faire jaillir l'étincelle ? Aucun des mots qui me venaient à l'esprit ne possédait un éclat particulier. Plus je les examinais, plus ils se ternissaient. Tout mon enthousiasme s'était envolé.

L'écriture n'a rien à faire d'un jeune homme qui frappe à sa porte avec le sourire aux lèvres. S'il a de la chance, elle le couvrira d'insultes. S'il a de la chance, elle le penchera brutalement sur le miroir pour lui montrer qu'il ne vaut rien. Qu'il ne savait rien. Et qu'il sera juste potable dans dix ans s'il y consacre toutes ses forces. Quant à devenir Blaise Cendrars...

Au départ, c'est une question d'amour-propre. On ne sait pas qui va gagner. On ne sait pas si l'on a envie d'être traité de la sorte et de commencer aussi bas. De n'avoir comme seul talent, en fin de compte, que celui de reconnaître sa propre nullité (je m'empresse d'ajouter qu'avant tout, ce talent est indispensable — sous peine de divagations et hallucinations sans fin).

Ensuite, il faut se résigner. La grâce ne tombera pas du ciel, ou si peu. Avec le temps, le travail et l'obstination, le geste finira pas acquérir une vraie souplesse, une vraie légèreté, mais rien ne sera gagné d'avance. Entendre sa propre voix et procéder aux ajustements nécessaires est un exercice difficile, une épreuve de longue haleine. J'avais vingt-deux ans à cette époque. Je tenais mon stylo levé mais une force invisible m'empêchait de passer à l'acte. Personnellement, ça m'a pris sept ans. Je pense qu'aujourd'hui, je ne le supporterais plus.

Je ne sais pas d'où vient ce goût pour l'inaccessible, ni quand il nous quitte. Aujourd'hui, s'il me venait à l'esprit d'organiser un bras de fer avec Blaise Cendrars, je craindrais pour ma santé mentale. Mais j'étais fou, à ce moment-là. Rien ne me semblait hors d'atteinte, aucun sommet trop difficile à gravir. Sans doute, les étoiles du ciel n'étaient pas

encore à ma portée, mais pour combien de temps ?
Tôt ou tard, Blaise viendrait dîner à ma table.

Bien sûr, je l'attends toujours. Comme j'attends
Carver, Kerouac et quelques autres, mais avec une
patience infinie et un espoir relatif. Car il arrive un
moment, dont on ne sait s'il faut se féliciter ou
craindre le pire, il arrive un moment où les modèles
s'éloignent et se dissolvent, sans vous abandonner
tout à fait mais vous laissant seul et soit vous êtes
devenu un écrivain, soit vous n'êtes rien du tout. Il
n'y a que vous pour le savoir. Vous ne serez jamais
Cendrars, ni Carver, ni Kerouac. Alors qui êtes-vous ?

Le parcours d'un écrivain est éprouvant, à bien
des égards.

Écrire n'est pas simple. Écrire est une occupation
parfois rebutante, parfois stérile et affligeante, parfois même au-dessus de nos faibles forces, mais elle
est la seule qui soit acceptable. Cendrars disait à peu
près cela.

Je l'écoutais avec la plus extrême attention à cette
époque. J'avais acheté une Remington. Grâce à lui,
je commençais à comprendre de quelle manière l'on
pouvait concilier la vie (« *Il y a l'air il y a le vent /
Les montagnes l'eau le ciel la terre / Les enfants les
animaux / les plantes et le charbon de terre /
Apprends à vendre à acheter à revendre / Donne
prends donne prends / Quand tu aimes il faut savoir /
Chanter courir manger boire / Siffler / Et apprendre*

à travailler »), concilier la vie, donc, et le métier d'écrivain. Cela semblait possible. Il en était la preuve. Combien de fois avait-il laissé un poème ou une page en plan pour aller jeter un coup d'œil alentour ? Il y a deux sortes d'écrivains : ceux qui sacrifient tout à la littérature et les autres.

Ceux qui font passer la littérature en premier ont au moins la satisfaction de ne pas développer un cruel sentiment de culpabilité, voire de frustration sur tous les tableaux. Quant aux autres, quant à ceux qui pratiquent le grand écart permanent et n'ont rien juré du tout, qu'ils ne viennent pas pleurer. *(« Mais ce que j'ai surtout pris en dégoût, c'est la littérature — ses besognes, ses pensums — et la vie artificielle et conformiste que mènent les écrivains. (...) J'ai toute une série de bouquins à faire. Oui. Mais dans la vie et au milieu des autres hommes, la vie que l'on s'invente tous les jours, les hommes auxquels on se lie en se déliant, car j'aime bien me moquer de moi-même et faire, pour me foutre dedans, tout le contraire de ce que j'ai décidé, et j'aime perdre mon temps. Aujourd'hui, c'est la seule façon d'être libre. »)* Qu'ils ne viennent pas se plaindre que la mariée est trop belle.

Sans doute, aucun de ces auteurs n'atteindra la perfection. Cendrars n'est pas Nabokov. Il faut l'entendre pester durant la traversée Dakar-Rio, parce qu'il doit finir *Moravagine (« Huit jours... Huit nuits... Que de temps perdu à la machine à écrire !... »)*. Mais la per-

fection en littérature a-t-elle un sens ? Eh bien, je
n'ai pas un goût particulier pour les remarques déso-
bligeantes et je ne cherche pas à m'aliéner la sympathie des esthètes. Que ma position soit bien claire.
Mais la maîtrise absolue de Nabokov ? L'extrême
beauté de la langue qui me faisait reposer *Lolita*
parce que j'en arrivais à ne plus rien comprendre à
l'histoire, à m'égarer dans une espèce de paradis
trop harmonieux, à ne plus saisir que la beauté des
mots ? J'éprouve une admiration totale pour le talent
de Nabokov. Rien de plus. Je n'aurais pas aimé être
son élève.

Jack Kerouac

Sur la route

Il n'y a pas d'un côté ma vie et de l'autre mes lectures. Ce serait à la fois trop simple et désespérant. D'autant qu'il y a des livres que l'on ne referme jamais, vers lesquels l'on revient toujours pour s'assurer de la terre ferme.

Toutes mes pensées, ma façon de vivre, mes goûts, ma vision du monde et, accessoirement, le choix de mes occupations futures, étaient bien entendu influencés par mes « rencontres » avec Salinger, Céline et Cendrars.

Aujourd'hui, il me semble que je ne suis plus capable d'éprouver ce que j'éprouvais alors au contact d'une petite poignée d'auteurs. Je suis sans doute trop vieux. J'ai perdu cette capacité à m'enthousiasmer sans retenue, sans arrière-pensées, à m'offrir tout entier, à me nourrir d'un livre jusqu'à la dernière goutte. J'ai donc aussi perdu le bonheur qui en résultait — un bonheur qui confinait à l'ivresse.

Il m'arrive encore d'applaudir des deux mains,

plus rarement de tomber de ma chaise, mais la comparaison ne tient pas. L'euphorie n'est pas l'ivresse.

Par ivresse, j'entends bien davantage qu'une agréable émotion, que le sourire qui vient aux lèvres pour un rayon de soleil ou la bonne tenue des cours de la Bourse. Non, je veux parler d'un état de confusion avancée, de ténèbres lumineuses, d'un sentiment d'oppression, de suffocation et de brûlure, je veux parler d'une chute ascensionnelle, de l'hébétude, du non-retour et de la découverte de perceptions nouvelles.

Sans doute survient-il, au cours de l'existence, un beau jour où l'on n'est plus candidat pour ce genre d'expérience. On n'a plus la même souplesse qu'autrefois, la même insouciance, la virginité et l'espace pour accueillir de grands bouleversements. Notre sensibilité, nos convictions, nos amours, ont plongé leurs racines à des profondeurs honorables et les balayer devient presque impossible.

Prenons une image un peu stupide : j'ai vingt-quatre ans, je suis allongé sur mon lit et commence à lire *Sur la route*. La première phrase trace un sillon sur ma poitrine. C'est une lame qui avance en écartant mes chairs. J'ai envie de dire : « Non, Jack, arrête... », mais je ne dis rien et poursuis ma lecture tandis que mon sang se répand sur les draps et que la tête me tourne.

Je suis devenu quelqu'un d'autre après avoir terminé ce livre. Salinger, Céline et Cendrars m'avaient profondément marqué, mais avec Kerouac, ce fut autre chose. Il ne me laissa pas la moindre chance. L'image évoquée plus haut, celle de la phrase pénétrant les chairs, est à la fois grotesque et irremplaçable. Car je ne sais comment expliquer cette sensation d'une écriture qui vous marque physiquement, qui laisse son empreinte indélébile sur votre corps, pas seulement dans votre cerveau mais à la surface. Une écriture qui commence par vous étouffer, puis relâche son étreinte pour vous accorder à son propre rythme. Une écriture qui vous prend littéralement pour support.

Par chance, il se trouve que le style d'un écrivain est en étroit rapport avec sa vision du monde. L'un ne fonctionne pas sans l'autre. Il n'arrivera donc jamais que vous soyez touché par une voix et rebuté par les faits qu'elle expose. Et plus vous serez touché, plus vous découvrirez l'immensité derrière les simples mots. En ce sens, *Sur la route* n'était pas un simple roman mais un traité de savoir-vivre. De savoir comment vivre.

Qu'est-ce que Jack Kerouac ne m'a pas appris ? Répondre à cette question plutôt qu'à son contraire me ferait gagner du temps. Et que m'en reste-t-il ? À peu près tout.

Ce qui signifie quoi, au juste ? Que nos pensées et nos actes s'abreuvent à la même source. Qu'en les remontant, même si leur cours est long et tortueux, on revient vers le centre, vers leur origine.

Ardoise

L'attirance que l'on ressent pour certaines formes, certains sons, certaines lumières, n'est pas un hasard. Le regard, l'attitude, les convictions, toutes ces choses ont été pétries de la même matière, elles sont issues du même œuf.

Durant une période plus ou moins longue, cette matière est molle, instable. Elle est également futile, inquiète, chaotique, emportée, influençable, affamée. Elle avale, recrache, examine, saisit tout ce qui passe à sa portée, puis finit par se stabiliser. Et le noyau central, le cœur du cœur de cette bobine devient si dur que plus rien ne peut le transformer. Il devient le fondement immuable de la personnalité, l'axe à partir duquel toutes vos forces vont irradier. Et l'on ne peut plus revenir en arrière — on n'en a d'ailleurs aucune envie.

L'ombre de Jack Kerouac planait au moment où cette part de moi-même se solidifiait. Je ne suis pas son héritier, ni le gardien du temple. Je suis à la fois bien moins que ça et davantage. Comment dire ? Il est ce qui me rend acceptable à mes propres yeux.

J'imagine que l'on peut grappiller à droite et à gauche. Prendre un peu de celui-ci et un peu de celui-là. Je l'ai sans doute fait, d'une manière ou d'une autre, mais il me semble qu'il s'agit moins d'un cocktail que d'éléments que j'aurais greffés autour d'un centre, d'éléments rapportés, et qui ne trouvaient d'ailleurs leur place que dans la mesure où ils s'accordaient, n'étaient pas « rejetés », consciemment ou non, par la figure de base.

Avec le recul, je ne vois pas comment j'aurais pu ne pas succomber. L'environnement culturel de cette époque, le début des années soixante-dix, ronflait comme un gigantesque incendie. S'y frotter avait pour résultat de s'y carboniser. Plonger dans une coulée de lave pour une destination inconnue. On comprend qu'il n'y avait aucune raison d'hésiter.

Ce qu'il y avait de bien avec Kerouac était qu'il ne se contentait pas d'être un écrivain hors pair. Il avait beaucoup de choses à proposer : musique, philosophie, poésie, drogue, mode de vie... l'éventail était large. À mes yeux, il projetait une ombre gigantesque. Il ne tarda pas à me frapper comme la foudre.

Une trentaine d'années plus tard, je peux tranquillement et objectivement considérer les « marques » de son passage sur mon existence quotidienne. Bien sûr, elles ont été estompées et polies par le temps, mais je les reconnais sans le moindre doute. Et autant leur liste ne présente guère d'intérêt, autant leur persistance est étonnante. On pense à ces arbres qui ont poussé sous le vent : ils penchent d'un côté, leurs branches s'étirent dans la même direction et leur vision du monde est un peu spéciale. Ils ne connaîtront jamais la verticalité, les choses leur apparaîtront toujours sous un angle particulier. Mais

il ne faut pas les plaindre : ils se sont arrangés avec
leur particulière et définitive inclinaison.

Le chemin qui mène de Cendrars à Kerouac est
évident. Le jazz est en supplément.

Lorsque j'étais un jeune écrivain, je déclarais que
mon ambition était d'écrire un livre qui ressemble-
rait à une chanson de Lou Reed, ce qui avait pour
conséquence de me disqualifier aussitôt aux yeux
d'une bonne part de la critique et je ne comprenais
pas pourquoi. Je le comprends aujourd'hui, ayant pu
mesurer le fossé qui nous séparait. Loin de moi,
néanmoins, l'intention de tenir alors des propos
sacrilèges : l'idée d'un roman qui distillerait une
impeccable mélodie, proposerait une poésie contem-
poraine, âpre et lumineuse, servie par une voix au
timbre envoûtant, ne me semblait pas attenter à la littérature. Au contraire. Je m'attendais à recevoir une
vigoureuse poignée de main quand je ne récoltais au
mieux qu'un sourire gêné ou condescendant. Je
pense que je ne savais pas bien m'expliquer. Sinon,
quoi ?

La consommation de musique à haute dose
change-t-elle le rapport au texte ? Une chose est sûre :
une part importante de la culture de cette époque
était transmise par les musiciens et les chanteurs. La
poésie aussi bien que les messages politiques ou
autres signes de reconnaissance. Si bien que l'oreille

s'était habituée à recevoir la bonne parole sous une forme particulière : l'élocution rythmée.

La beauté d'une phrase ne tient pas à la beauté de ses mots, mais à l'harmonie qui s'opère entre les uns et les autres. Et il n'y a pas d'harmonie sans rythme, sans tempo.

Beaucoup d'écrivains s'imaginent qu'en produisant de la dentelle (et tenir une chronique dans un magazine à grand tirage n'est pas une excuse), on peut se vanter de savoir écrire. Ils ont raison. Mais savoir écrire peut amuser la galerie cinq minutes, quand cette dernière est miséricordieuse ou composée d'un ramassis de lèche-bottes incompétents. Cinq minutes est un grand maximum.

Trouver le rythme, l'intonation d'une phrase, est une histoire plus sérieuse, un exercice autrement délicat. Avoir de l'esprit ne suffit pas et semblerait même, lorsque cette disposition est fourbie pour le moins du lever au coucher du soleil, constituer un vice rédhibitoire. Avoir de l'esprit permet de se sortir de bien des situations, mais sûrement pas d'aller à l'essentiel. Avoir de l'esprit permet de parer au plus pressé, de maquiller le vide dans les cas les plus aigus (à cet égard, certains plateaux de télé présentent de merveilleux cas d'école) ou le manque. Quand il s'agit de mettre au jour la mélodie plutôt que de travailler les arrangements, avoir de l'esprit revient à utiliser une petite cuiller d'argent pour trouver du pétrole.

Le goût pour les choses très apprêtées, pour l'artifice, pour le signe extérieur, pour l'habileté à estomper les défauts et les ombres, peut très bien se défendre. Il est facile, quand on ne bénéficie soi-même d'aucune disposition pour la virtuosité, pour l'enluminure ou l'arabesque, de les critiquer. Soit. Mais quel camp est supérieur en nombre ? De quel genre de littérature sommes-nous le plus largement abreuvés ?

Par exemple, comment se fait-il qu'aujourd'hui, pour rester dans le cadre français, un écrivain comme Régis Jauffret n'occupe pas la première place ? Faut-il se frotter les yeux très longtemps pour apercevoir un écrivain au milieu d'un champ de broussailles ?

Il est assez stupide de déclarer que l'on ne fait pas de bonne littérature avec de bons sentiments. Mais il est encore plus stupide de penser que l'on fait de la littérature avec des sentiments. Que la qualité d'une œuvre se mesure à l'aune de leur complexité, de leur profondeur, de leur finesse (et l'on applaudit au passage le talent chirurgical de celui qui parvient à les extraire). Non, le seul ingrédient nécessaire à la littérature est le style — la respiration, le rythme. Le rythme, dont Octavio Paz précisait qu'il n'est pas mesure mais vision du monde. Le style, dont Jacob Paludan déclarait qu'il n'était pas le contenu, mais la lentille qui concentre le contenu en un foyer ardent.

À l'évidence, chaque phrase de *Sur la route* pourrait être transcrite sur une partition musicale. Elles
ont une ligne mélodique interne. Mises bout à bout,
elles constituent un chant qui oblige le lecteur à par-
ticiper physiquement. Il doit s'accorder au rythme, à
la respiration. C'est une expérience étonnante, merveilleuse.

Le rapport direct du texte de Jack Kerouac avec la
musique, avec le jazz en particulier (solo instrumen-
tal, improvisation, déclinaison de thèmes, variation
de tempo...), était une vraie bénédiction. À l'époque
où je le découvris, la musique était une référence
incontournable. On la cherchait partout. On guettait
son phrasé, son mouvement, sa respiration.
L'émotion jaillissait de la scansion, de l'intonation,
du souffle. Je ne sais pas si l'on peut se figurer
aujourd'hui l'effet d'un Ginsberg déclamant *Howl*
ou d'un Kerouac récitant ses poèmes sur une improvisation de jazz. Je tombai dessus, quant à moi, avec
dix ans de retard, mais ne m'en souciai pas outre
mesure : leur énergie était intacte. Jazz, rock,
j'écoutais les deux, passais de l'un à l'autre, bien
que j'entende à présent, dans le flou du souvenir, la
voix de Mick Jagger flotter dans l'atmosphère du
long poème — « un seul rouleau de papier de cent
pieds, écrit d'une traite, en trois semaines... » que
Kerouac récitait à voix haute en écrivant *Sur la
route*.

Mon obstination définitive à placer le style par-dessus tout, à privilégier la forme sur le fond, la sonorité d'une phrase plutôt que son sens (mais le contenant a parfois une signification supérieure au contenu), n'est pas à chercher ailleurs : je suis le fruit d'une culture de l'oreille. Je dirais que, par formation donc, j'ai une approche plus physique que mentale d'un texte, je le perçois avant tout comme une musique et il me touche d'abord par sa résonance à mes tympans, par sa vibration à l'intérieur de ma poitrine. Est-ce la bonne attitude ? Est-ce la bonne formule pour apprécier la qualité d'un roman ? Franchement, je serais tenté de répondre oui.

Quand Octavio Paz déclare que le rythme n'est pas mesure mais vision du monde, il me facilite la tâche. Car si l'on réduisait le travail de Kerouac à la métrique, au tempo de son écriture, aussi brillants soient-ils, on resterait loin du compte. Le rythme est une affaire plus subtile. Il est également produit par les couleurs, les atmosphères, le choix des images, l'angle et la durée du regard, étant entendu que tous ces éléments interfèrent et agissent même lorsqu'ils ne sont pas directement sollicités. L'homogénéité d'un tel mélange requiert beaucoup d'instinct, de sensibilité, et beaucoup de concentration. Appelons cela le style. À lui seul, il rend compte de la vision du monde. Appelons donc cela la grâce.

Je restai un long moment dans les parages de Kerouac (avec des retours en arrière du côté de

Thoreau, Hawthorne, ou encore Sherwood Anderson, et jusqu'aux textes des Black Panthers, d'Alan Watts ou Huxley — il me faisait courir dans tous les sens —, j'avalai tous les poètes beatniks et Confucius, Lao-tseu, Musahi, Sun Tzu...). Dès que je gagnais un peu d'argent, je filais sur ses traces, de Lowell à San Francisco (où je visitais régulièrement la librairie de Ferlinghetti, City Lights). Quelques années plus tard, je jugeai cette passion un peu ridicule, un peu trop « groupie », à mon goût. Aujourd'hui, le jeune homme que j'étais me semble plutôt sympathique : non seulement je n'ai pas honte de ses élans mais j'aimerais avoir la chance de les revivre. Je donnerais cher pour boucler mes valises et partir sur les traces d'un écrivain comme je le faisais alors. En fait, je suis fier d'avoir été si romantique. On devient atrocement sérieux en vieillissant. On se contente de prendre le thé avec Richard Ford dans un appartement parisien. On se satisfait de petites choses.

Encore un mot sur le style. On pense qu'on a tout dit mais on n'a rien dit. Mon admiration pour Jack Kerouac, ce qui me faisait sauter dans un avion pour fouler le sol qu'il avait foulé, admirer les paysages qu'il avait décrits, les villes qu'il avait traversées, ne tenait au bout du compte qu'à la manière dont il organisait quelques mots dans une phrase. Peut-on croire une chose pareille ? N'est-il pas temps de parler de la magie ?

D'emblée, j'ai averti que l'on ne parle pas de la

magie. Il en va comme pour les trous noirs : on sait qu'ils sont là mais on ne peut pas les toucher.

Néanmoins. Néanmoins, on peut murmurer quelque chose : la beauté d'un style, sa force exceptionnelle, sa magie, proviennent de son pouvoir d'apprivoisement. Et l'on sait les qualités requises, les qualités humaines s'entend, pour mener à bien ce genre d'exercice. L'apprivoisement.

Et encore ceci. Sur le plan musical, le style se traduirait par la fusion de trois éléments : le rythme, la mélodie et la voix. Au prix d'un léger effort, on peut les transposer sur le plan de la littérature. Certes, l'équivalence de la voix peut poser un problème. En particulier pour les coupeurs de cheveux en quatre et ceux qui ne veulent pas entendre.

HERMAN MELVILLE

Moby Dick

On peut penser que le siècle qui sépare *Moby Dick* de *Sur la route* n'a pas creusé un fossé bien large. Que la quête du capitaine Achab à travers les océans n'est pas très éloignée de celle qui lançait Sal Paradise sur les routes du continent américain. Mais je n'ai pas fait ce rapprochement, sur le coup.

Je souhaitais une rupture. Je voulais reprendre mon souffle après cette immersion prolongée dans l'univers de Jack Kerouac. Et aussi, j'avais peur de l'épuiser.

J'avais envie d'aller vers une époque où les voyages duraient des mois, où les bateaux marchaient à la voile, où l'écriture était plus classique, avec du bois vernis et du cuivre. Je sentais que j'avais besoin de prendre de la distance, de m'écarter du tourbillon ambiant, ne fût-ce que pour l'admirer d'une position plus calme (il n'y avait que les cinglés comme Dean Moriarty pour ne jamais marquer une pause).

Deux îles, au large de cap Cod, sont étroite-
ment liées à l'histoire de la chasse à la baleine :
Martha's Vineyard et Nantucket. J'y avais déjà effectué quelques séjours lors de mes pérégrinations dans
le Massachusetts (pour Kerouac, mais aussi pour
Thoreau, Emerson, Whitman et Salinger), séjours au
cours desquels vous basculiez dans un autre monde,
hanté par les monstres marins et les récits d'aventures menées sur toutes les mers du globe. Il y a le
musée de la Baleine à Nantucket et une partie de
l'île de Martha's Vineyard appartient encore aux
Indiens Wampanoags (embarquer sans un Wampanoag
à bord portait malheur), pour le cas où votre imagi-
nation faiblirait. Pour le cas où vous auriez oublié
que le 18 août 1819, l'*Essex* appareillait à
Nantucket. Le 20 novembre 1820, au sud de l'équa-
teur, à 2 795 milles à l'ouest des Galapagos, il était
éperonné par un cachalot. L'*Essex* deviendrait alors
le *Pequod* et le cachalot Moby Dick.

Passer quelques jours à Nantucket avant d'atta-
quer *Moby Dick* est l'un des meilleurs conseils que
je puisse donner (ça ne revient pas plus cher qu'un
séjour au Club Med — par contre, votre vie en sera
illuminée).

Tout le monde connaît l'histoire de *Moby Dick*.
Enfants, nous en avons tous eu entre les mains une
version simplifiée, agrémentée d'illustrations où la
fameuse baleine blanche soulevait le *Pequod* sur son

dos avant de le fracasser comme une simple boîte d'allumettes. Plus tard, sur le banc des écoles, on nous a expliqué qu'il s'agissait d'un des chefs-d'œuvre de la littérature mondiale et d'éminents professeurs nous en ont patiemment décortiqué tous les symboles, toutes les dimensions, toutes les sources, au point que l'on pouvait se demander si sa lecture réservait encore quelque surprise.

Ma première surprise fut de découvrir un livre intact. Un livre qu'aucune autopsie n'avait entamé (je renouvelai cette expérience avec Stevenson, Kipling ou le *Lord Jim* de Conrad, ce qui était plutôt réjouissant). Achab sortit des limbes glacés où mon ignorance l'avait relégué pour se dresser devant moi, plus sombre, plus vivant et plus fou que je ne l'avais jamais imaginé. Les voiles du *Pequod* se gonflaient sous un air frais et pur, légèrement cinglant. Les ombres du passé disparaissaient sous une lumière éclatante.

L'autre surprise fut l'immense plaisir que j'éprouvai à cette lecture. Y a-t-il une chose qui n'a pas été dite à propos de *Moby Dick* ? Ma foi, je ne sais si l'on a mis l'accent sur la pureté du plaisir que je viens d'évoquer : un bonheur qui est directement lié à l'enfance, à notre capacité d'évasion et d'émerveillement, à nos joies et à nos terreurs de lecteurs en herbe. Et à cet égard, *Moby Dick* est le récit d'un voyage étonnant dont vous êtes le mousse aux yeux écarquillés et au cœur battant, le pauvre petit gars qui retient son souffle.

Béni soit l'auteur qui possède ce pouvoir : redonner à vos émotions la pureté qu'elles ont connue lorsque vous lisiez sous les draps, à la lueur d'une lampe électrique, perdu dans l'immensité du monde.

Il y a un autre aspect de *Moby Dick*, que le foisonnement de l'œuvre semble avoir occulté : sa matérialité. Chaque élément du décor peut se matérialiser sous la main, de même que l'on peut entendre, voir, sentir, se pencher par-dessus bord et recevoir les embruns en pleine figure ou passer un moment avec un bout de corde raidie par le sel dans l'espoir de réaliser un nœud de jambe de chien. Ce charme étrange provient de la relation directe du récit avec les éléments naturels et ses digressions sur l'univers des marins. La fiction s'appuie sur le documentaire. La fiction est subordonnée à la force de la tempête, au bon vouloir des vents, à l'épaisseur du brouillard, à la vitesse du *Pequod*, aux routes empruntées par les baleines. La vie à bord n'est soumise qu'à une seule autorité : celle des éléments. Et il n'y a pas une âme, pas un seul objet sur le *Pequod* qui ne soit en relation directe avec eux, ou qui même soit autogène.

Je pense que c'est à Melville que je dois ce sentiment qu'un personnage n'existe pas tant que le vent n'a pas soufflé dans ses cheveux. Tant qu'il n'a pas éprouvé physiquement la présence du monde qui l'entoure — et le vent, la pluie, le soleil, les rivières

ou les montagnes m'ont toujours semblé les plus
dignes de foi. Je ne sais pas si c'est une réflexion
intéressante, mais je n'ai jamais pu m'en détacher.
Qu'un personnage lève les yeux vers la cime d'un
arbre m'est toujours apparu comme un acte de la
plus extrême importance. Et si par chance l'arbre lui
tombe sur la tête, je peux m'estimer satisfait.

Pour autant, je ne suis pas devenu un écrivain qui
célèbre les beautés de la campagne et les menus travaux que nécessite l'entretien du jardin. Une odeur
de pomme pourrissante dans la pénombre de la
buanderie ne me met pas dans tous mes états.

Parce qu'en fait, la nature me fait peur, me coupe
le souffle et m'écrase. Chaque fois que je suis monté
sur un bateau, chaque fois que j'ai fait une balade en
montagne, chaque fois que j'ai dormi à la belle
étoile, j'ai senti que la mort était dans les parages,
que la vie ne tenait qu'à un fil désespérément minus-
cule. Mais ne pas sentir ça, ne pas sentir que la vie
est un don, ne pas avoir d'échelle, n'avoir qu'une
pomme pourrie ou des odeurs de confiture pour évoquer les forces qui nous entourent, voilà qui est plus
terrible encore. « *Ainsi pour moi-même, au cœur de
l'Atlantique tourmenté de mon être, il m'arrive de
jubiler dans un calme muet tandis que les planètes
néfastes gravitent sans fin autour de moi sans toucher la place profonde et intime où baigne l'étincelle
de ma joie.* » *Moby Dick.*

Je suis avant tout un lecteur de romans contemporains. Je ne lis pas de science-fiction (sauf Philip
K. Dick), pas de romans policiers (sauf James
Ellroy) mais ma tâche n'en est pas allégée pour
autant. Cependant, et une fois encore, la lecture de
Moby Dick s'est révélée décisive : je retourne vers
les anciens avec une régularité qui m'étonne et me
découvre un goût pour l'épique.

Retourner vers les anciens, dans mon cas, n'a pas
pour but de combler les trous d'une culture classique
que je qualifierais, pour ne pas m'être désagréable,
de bringuebalante. Où étais-je et que fabriquais-je
tandis que d'autres lisaient les « bons » livres ? Je ne
sais que répondre. Mais quant à rattraper le temps
perdu (?), j'ai bien peur qu'il ne soit trop tard. Alors
quoi ? Passé le court instant où l'on considère d'un
œil perplexe les deux océans que sont la littérature
d'hier et celle d'aujourd'hui (dans lequel faut-il
s'élancer, sachant que même une vie entière ne suf-
fira pas à l'exploration de l'un ou de l'autre ?), on
peut être tenté par le chinois. Il est parfois enseigné
dans le primaire. Mais le but n'est pas de l'apprendre, le but est de mettre l'enfant en contact avec
un mode de pensée, une calligraphie, une culture différents. Ainsi, je me souviens que la lecture de
Madame Bovary ne m'avait pas particulièrement
excité (j'étais plongé dans l'œuvre de John Gardner
à cette époque), ni même *Le Rouge et le Noir*, mais,
comment dire, je m'étais laissé bercer, peu sensible

au voyage en lui-même, mais attentif à la qualité des sièges et surpris par celle du service dans les compartiments.

Retourner vers les anciens, de manière sporadique, anarchique, superficielle, ne permet donc pas d'apprendre le chinois mais d'en saisir le parfum, de tirer la branche d'un arbre pour en respirer la fleur, sans se soucier du tronc et des racines.

Pour dire les choses plus clairement, mettons qu'il ne soit pas nécessaire d'avoir lu tout Shakespeare ou tout Racine pour se forger un style ou être capable d'écrire un dialogue. Mais n'avoir pas lu au moins quelques pièces de ces deux-là rend la chose bougrement difficile.

Nous nous embarquons tous pour un voyage sans retour. Chacun le sait, mais il me semble que je n'en avais pas réellement pris conscience avant la lecture de *Moby Dick*.

Je tâche de ne pas perdre de vue que le propos du présent ouvrage n'est pas une divagation sur le style. Ainsi, le roman de Melville m'invitait-il à considérer avec le plus grand sérieux les décisions à prendre concernant ce fameux voyage. Ainsi, j'ai toujours su qu'une fois à bord, je ne pourrais plus reculer.

À défaut d'indiquer le bon chemin, ce genre de certitude aide à trouver les forces nécessaires. Or voilà une profession, écrivain, où le doute pousse comme de la mauvaise herbe, où l'on est constam-

ment tenté de jeter l'éponge. Comme les matelots du
Pequod, on est tenté de faire demi-tour. Mais c'est
une solution impossible. Il n'y a que l'immensité des
océans alentour. Il faut s'en arranger, retourner à ses
occupations.

HENRY MILLER

La Crucifixion en rose

Je ne me suis pas décidé à devenir un écrivain du jour au lendemain, mais Henry Miller a sans doute représenté un point de non-retour.

Il faut savoir, bien sûr, que l'on *décide* d'être un écrivain. En avoir les capacités, voire quelques preuves enfermées dans un tiroir, ne signifie rien tant que l'on n'est pas résolu. Au talent supposé, il faut ajouter la volonté — je dirais presque à parts égales.

Lorsque je refermai les deux mille pages de la trilogie que composent *Sexus*, *Plexus* et *Nexus*, j'éprouvai un fort sentiment de mépris, vis-à-vis de moi-même : je faisais le malin depuis des années avec mes carnets et mes notes, mais je n'avais pas été fichu de m'y mettre sérieusement, j'étais paresseux et lâche, tout juste bon à repousser l'heure de vérité à plus tard. Ma médiocrité devenait tout à coup insupportable.

En fait, ce qui venait de me terrasser à la lecture de *La Crucifixion*, c'était le souffle, le déferlement.

J'avais été balayé. Et durant les tristes jours de mélancolie qui suivirent, je pris peu à peu conscience du fait que soit je n'écrirais plus une seule ligne de ma vie, soit je ne m'arrêterais plus.

La mélancolie venait peut-être du silence qui s'était installé. De l'ombre qui planait encore. Pourtant le souffle, le déferlement ne m'étaient pas étrangers : Céline et Kerouac n'étaient pas manchots à cet égard. Mais Miller avait autant de bras qu'une pieuvre et il remuait dans tous les sens. Il jubilait.

La Crucifixion en rose est une autobiographie. Cinq années de la vie d'un homme possédé par une volonté farouche : devenir un écrivain. « *Je m'aperçus que le désir de toute ma vie n'était pas de vivre — si l'on peut appeler vivre ce que font les gens — mais de m'exprimer.* » À trente-trois ans, encouragé par sa femme, Henry Miller démissionne de la Western Union Telegraph Company pour s'exprimer.

L'énergie, l'exubérance, la foi sont au rendez-vous. Les femmes aussi. Et les problèmes d'argent, les déceptions, l'amitié, la joie de vivre, le travail et les rêves.

Bien que je sois, aujourd'hui, beaucoup plus ému par les écrivains sobres (du seul point de vue de la littérature), j'éprouve toujours la plus grande admiration (et une tendresse particulière) pour les autres, les luxuriants, les généreux, les fiévreux, les monstres. On sent qu'ils ont peur que quelque chose leur échappe. Ils veulent brasser le monde entier, l'emprisonner dans un filet qu'ils tissent au fur et à mesure, de toute urgence, comme s'ils devaient dresser une cathédrale avant la tombée de la nuit, sans l'aide de personne, au risque de prendre l'édifice entier sur la tête. Seules l'énormité des murs, la masse de matière employée peuvent maintenir l'improbable équilibre et transformer la hideur en beauté. Ces écrivains-là sont des saints. Les sobres sont des anges.

Je ne sais pas ce qui est le plus difficile. On peut cependant accorder aux saints d'avoir choisi une voie plus dangereuse. L'abondance, le souffle, la parole envisagée comme un flot déchaîné qui renverse tout sur son passage, voilà qui sème quelques embûches sur la route. On ne peut faire l'économie, çà et là, des inévitables passages indigestes ou des entorses au bon goût, aux lois de l'équilibre. Bien sûr que non. Mais outre que ces inconvénients parviennent au final à se transmuer, à imposer une laideur qui se tourne vers le ciel, ils sont la chair à vif, ils sont la croix portée sur les épaules et celui qui les montre du doigt, celui qui fait la fine bouche ne comprendra jamais rien aux forces qui sont à l'œuvre.

Littéralement parlant, Henry Miller est une force de la nature, comme le sont les écrivains portés par le souffle et qui tiennent la distance. Il y a un aspect purement physique dans leur travail, qui les rapproche davantage des sculpteurs que des peintres (bien que Miller ait consacré la fin de sa vie à la peinture, mais justement). Lorsque je terminai *La Crucifixion*, je m'attaquai aux deux *Tropiques*. Pour m'assurer que le flot n'était pas tari. Le sentiment que le souffle procure avant tout est la fascination. Je me demandais si un écrivain éprouvait le besoin de se lever pour voir jusqu'où son ombre portait.

Quand Hemingway écrivait cinq cents mots par jour, Miller en écrivait cinq mille, ce qui ne lui laissait pas beaucoup de temps pour la pêche au gros ou les corridas. Mais suffisamment pour les femmes. Or, à ce propos, en dehors de la fascination que son énergie d'écrivain exerçait sur moi, il abordait avec le monde féminin un sujet qui ne m'hypnotisait pas moins. Surtout de la manière dont il le traitait.

On connaît les problèmes que Miller a rencontrés avec la censure, en France et davantage encore aux États-Unis. « *Un auteur, déclare Norman Mailer, qui peut être tenu pour l'égal du meilleur Hemingway, supérieur à tout ce qu'a fait Fitzgerald, un auteur qui, dans ses moments les plus riches, nous a donné des passages aussi intenses que les textes de Faulkner, un écrivain qui était probablement capable d'écrire davantage que Thomas Wolfe, et de faire plus fort que lui, un déluge de prose, un volcan, un torrent, un tremblement de terre, un écrivain, enfin, semblable à un grand athlète.* » Un auteur qualifié de pornographe.

On pourrait penser que dans les années trente, il n'en fallait pas beaucoup à la censure pour dégainer ses couteaux, qu'un peu de sexe, qui aujourd'hui nous ferait sourire, suffisait à la rendre hystérique. Eh bien, ce n'était pas le cas. Miller méritait vraiment le plus grand bûcher que l'on puisse imaginer. Il ne pouvait y avoir pire. Et encore maintenant, je ne vois personne qui l'ait dépassé en audace, en puissance et en perfection, personne qui ait porté la pornographie à un point d'incandescence aussi sublime. « *Le sexe, selon lui, poursuit Norman Mailer, est le domaine naturel du roman, aussi clair, libre et susceptible d'être annexé que n'importe quel panorama social. On peut capturer la vie sexuelle de deux personnes dans toute sa profondeur et avoir autant à dire sur le cosmos qu'une intrigue littéraire traditionnelle avec ses banquiers et ses voleurs, ses femmes honnêtes et ses putains, ses employés de bureau et ses tueurs. Le roman véritable, selon Miller, peut court-circuiter la société. Nous projeter tête baissée dans le cosmos. Nous y projeter par l'intermédiaire d'un con empalé sur une bite.* » Personne, mieux que Henry Miller, n'est parvenu à démontrer que la pornographie est une arme absolue, la chair la plus près de l'os, l'infime part de pure vérité que nous soyons capables d'exprimer à propos de nous-mêmes. Personne ne l'a employée avec autant de grâce, autant de liberté, autant de lumineuse brutalité que cet ancien employé de la Compagnie des

Télégraphes. Personne n'a encore réuni autant de talent et de courage à la fois.

Jusque-là, mes seules expériences en la matière se limitaient à Sade et Bataille (quant à *L'Amant de lady Chatterley*, cela me semblait tout juste bon pour le jardin d'enfants et la lecture des *Onze Mille Verges* m'avait carrément assommé). Je leur préférais encore, à choisir, *Paris-Hollywood*, même si les photos étaient retouchées, les sexes gommés de façon scandaleuse. Il s'en dégageait au moins une impression de proximité, de réalité plus grande. Chez Sade et Bataille, le sexe arpentait des territoires étrangers, étalait des outrances peu communicatives, visait des cibles lointaines, agitait des marionnettes dont les entrailles étaient remplies de son. Ce sexe-là n'avait qu'un vague rapport avec la vie de tous les jours, avec les relations entre les individus et ce qu'ils fabriquaient ensemble lorsque certaines pulsions les traversaient. Il ne se posait pas comme la chose au monde la plus communément partagée, mais bien plutôt comme une exception, comme une pratique très particulière à laquelle se livraient des gens très particuliers. Quelque chose comme le bridge.

Or, chez Henry Miller, le sexe s'imposait tout à coup comme l'élément indispensable à la compréhension du monde. Débarrassé de son côté baroque, mis à l'épreuve du quotidien, tiré de l'ombre et violemment éclairé, le sexe avait désormais son mot à dire. Et s'il coupait le souffle, s'il provoquait les réactions les plus extrêmes chez les tenants du pour et du contre (ces derniers menant toujours leur sinistre et nauséeuse croisade au nom d'une moralité aux ongles sales), s'il ravageait le paysage comme un météore de feu tombé du ciel (ô combien tombé du ciel !), ce n'était pas simplement parce que Miller mettait au jour une richesse ignorée, un pouvoir inutilisé et condamné à l'oubli par on ne sait quelle aberration générale, mais parce qu'il était parvenu à le magnifier, à en faire une littérature de haut niveau.

Ceux qui s'y sont essayés savent que la pornographie est un exercice extrêmement difficile que seuls les meilleurs parviennent à maîtriser. Il requiert, contrairement à l'avis des écrivains et lecteurs du dimanche, la plus grande subtilité, la plus grande concentration et un sens de l'équilibre hors normes. Car il n'y a rien de plus casse-gueule. De part et d'autre, tandis qu'il faut s'avancer sur le fil du rasoir, apparaissent des champs couverts de victimes : celles qui ont échoué par frilosité et celles qui ont échoué pour cause de confusion des genres. Les unes et les autres balayées par le ridicule. Par confusion des genres, j'entends ceux qui confondent pornographie avec le film du samedi soir où tout le monde s'emmerde.

Il n'y a pas de pornographie sans vision du monde, d'où une bonne part des cassages de gueule évoqués plus haut. Seulement la matière est limitée,

les outils sont les mêmes pour chacun et il ne reste
que cette vision pour partager le bon grain de la
nuée. Là où les prudents se réfugient dans l'érotisme
(voyez leur sourire satisfait, leur jardin à la fran-
çaise, humez leur parfum suranné), les autres, ceux
qui croient encore à quelque chose, devront se battre
à mains nues : pas de production hollywoodienne ni
panoplie de métaphores chatoyantes. Pas de faux-
fuyants ni de poudre aux yeux : juste le vocabulaire
de base, sec et dur à s'en briser les mâchoires. Pas de
clin d'œil, de complicité, de connivence avec le lecteur, ce qui est le fond de commerce de l'érotisme,
non, pas de cette vulgarité-là. Pas de cette pudeur
autrement nauséabonde, qui ravale la sexualité au
rang de l'*entertainment*.

Regarder la sexualité en face, et se donner ainsi
les moyens d'y comprendre quelque chose (*quelles*
forces animent *quoi* — ou *qui* si l'on veut faire plus
court), passe obligatoirement par la pornographie, à
moins que l'on ne choisisse de piétiner sur place.
Malheureusement, il n'y a pas de pornographie dans
les sex-shops, il n'y a que de la merde, et il faut
chercher la pornographie là où elle se trouve : chez
les rares cinéastes et les quelques écrivains qui l'ont
considérée comme un matériau noble, consubstantiel
à la nature humaine et donc fichtrement digne d'intérêt.

Enfin aux aveugles, aux critiques à la petite
semaine, aux faux intellectuels, à ceux qui s'interro-

gent stupidement sur l'avenir du roman sans jamais avoir été capables d'aligner une seule phrase digne de ce nom, on pourrait suggérer ceci : et si la seule réalité, le meilleur moyen de « penser notre époque » était contenu dans une scène de baise ? Si le miroir le plus juste de notre société s'y trouvait concentré ? Si l'on pouvait y décrypter la somme de nos terreurs, de nos angoisses, de nos joies et nos peines, je veux dire de notre condition, ici et maintenant ? Et d'une manière plus triviale, si notre façon de baiser, les rapports que nous entretenons avec le sexe, comme nous en parlons et comme nous le pratiquons, avec quels mots, quelle brutalité, quels silences, et dans quelles positions, et avant, et après, et dans quel état d'esprit, et dans quelle intention, et avec quelle part de nous-mêmes, et jusqu'où, et pourquoi... et si toutes ces questions amenaient une réponse, si l'on consentait à les considérer objectivement une seule minute, ne se trouverait-on pas en présence du plus magistral instantané que l'on puisse espérer, de la plus sensible esquisse de réalité ? Ceci dit, vous faites comme vous voulez. Je ne suis pas chargé de tenir vos chroniques. Nos préoccupations ne sont pas les mêmes.

« *Cher Mr Miller, écrivit Lawrence Durrell, je viens de relire* Tropique du Cancer *et il faut absolument que je vous écrive un mot là-dessus. Pour moi, c'est sans conteste le seul ouvrage digne de l'homme dont ce siècle puisse se vanter... Je n'ai jamais rien*

　　　　　　　　　　　　　　　　Ardoise

lu de pareil. Je n'imaginais pas qu'on pût écrire un
pareil livre, et pourtant, chose curieuse, j'ai cru en
lisant reconnaître une chose pour laquelle nous
étions tous prêts... »

L'onde de choc qui m'atteignit une quarantaine
d'années plus tard n'avait rien perdu de sa puissance
initiale. Lorsque je touchai mes premiers droits d'auteur, au début des années quatre-vingt, je suivis ses
traces jusqu'en Grèce, *Le Colosse de Maroussi* à la
main. Puis je découvris son admiration pour Céline
et Cendrars.

Avant que ma femme n'arrache les portraits
d'écrivains que j'avais épinglés au mur (je n'en avais
personnellement pas la force mais étais tombé d'accord avec elle sur le fait que j'avais passé l'âge),
Henry Miller figurait en bonne place. On me traitait
alors de pâle copie des auteurs américains mais
lorsque mon regard tombait sur la photo de Henry
Miller, je sentais que je n'étais pas digne de ce com-
pliment. En fait, le plus terrible danger qui guette un
écrivain est de succomber à la vanité. Si rien ne vient
le rappeler à la réalité, si aucune voix ne vient lui
souffler à l'oreille qu'il ne vaut rien, alors le pire est
à attendre. Le malheureux ne connaîtra plus la rage
ni le progrès. D'où l'idée de s'inventer des buts hors
de portée, des sommets inatteignables vers lesquels
on garde l'œil fixé.

À cet égard, Henry Miller comme Jack Kerouac
sont de parfaites figures d'écrivain, de belles mon-

tagnes inaccessibles. On peut facilement les utiliser. Ils ont la carrure. Leur œuvre continue d'illuminer le paysage. Elle est abondante, généreuse, unique, profonde et brûlante. Elle a le pouvoir de briller davantage encore que par le seul produit de l'énergie qu'elle diffuse en réalité et ainsi, restera toujours hors d'atteinte.

Si donc, à mon sens, il n'est pas inutile de se donner quelques verges pour se fouetter avant que la vanité ne nous étouffe, autant les choisir avec soin. Autant choisir avec soin ceux qui seront chargés de nous remettre à notre place, avec patience et fermeté, voire avec bienveillance. Qui donc aurait envie de se laisser fouetter par Nabokov, sincèrement ? On voit qu'il entre une part de sentimentalité dans cette histoire. Qu'au-delà de l'œuvre, il y a l'individu, les questions d'atomes. N'est-ce pas, les vrais maîtres sont ceux qui vous ont transpercé le cœur de part en part. Ce n'est pas l'ombre sidérante de Joyce ou de Proust qui m'amène à frémir des pieds à la tête, mais la lumière éclatante de Miller ou de Kerouac. On sait qu'il n'y a pas de justice, ici-bas. Quelques rares écrivains vous accompagneront toute votre vie, d'autres pas. Quelques très rares écrivains seront une source intarissable, un éternel refuge, le nerf de votre foi. Ils deviendront votre famille, les autres pas. Mais là, encore une fois, nous sortons du pur domaine de la littérature. Et l'on se met vraiment à respirer.

WILLIAM FAULKNER

Tandis que j'agonise

Pourquoi *Tandis que j'agonise* plutôt que *Le Bruit et la Fureur, Lumière d'août* ou *Absalon ! Absalon !* ? Simplement parce que ce fut la première porte que j'ouvris sur l'univers de Faulkner. Sinon, je ne parviens pas à trancher. « Que dois-je lire de Faulkner ? Par quoi commencer ? » Lorsque l'on me pose la question, un poids s'abat sur mes épaules. Puis je deviens vite incohérent et embrouille mon interlocuteur. Au mieux, je trouve de quoi écrire et propose la liste d'une demi-douzaine d'ouvrages. Si l'on me retourne un sourire dépité, je fais comme Ponce Pilate. Je laisse le sale boulot à d'autres.

Il n'y a pas, dit-on, de *Moby Dick* ni d'*Ulysse* dans l'œuvre de Faulkner. C'est une chance. L'un ne nous fera pas faire l'économie des autres. Toutefois, avec son « *intrusion de la tragédie grecque dans le roman policier* », Malraux a donné un sérieux coup de projecteur sur *Sanctuaire* et l'on commence souvent par celui-ci, par le plus connu. Et je ne sais pas.

Je ne sais pas si c'est la bonne approche. J'ai beau être persuadé qu'il est *impossible* de résister à Faulkner, je me méfie de ce livre-là. Je ne suis pas sûr qu'il puisse porter le coup fatal. Or, chaque fois que je pousse quelqu'un vers Faulkner, je veux être sûr qu'on ne s'en remettra pas. Je me sens responsable.

Lorsqu'il m'arriva de jeter un œil sur les travaux consacrés à Faulkner, j'eus aussitôt le sentiment d'être un imbécile. Je me souviens en particulier d'une étude sur *Absalon !*, une analyse très sérieuse, et autant que je m'en souvienne, particulièrement brillante. Malheureusement, elle mettait en lumière certains points qui ne m'avaient pas effleuré, certaines acrobaties structurelles que je n'avais pas relevées. Ainsi, le plaisir que j'avais pris à la lecture d'*Absalon !* me sembla suspect pendant un moment. Mais pendant un moment assez court, dois-je préciser.

Faulkner agit sur le lecteur par envoûtement. Ce qui signifie que celui-ci atteint très vite une sorte d'état second, somnambulique, à mesure qu'il s'enfonce au cœur du roman, cerné de toutes parts, emporté par des bras qui le saisissent les uns après les autres et le soulèvent. Et dès lors, il lui est impossible de faire machine arrière, de venir se plaindre d'intentions qui échappent et obscurcissent le paysage car on est paralysé par la beauté des champs que l'on traverse, quand bien même elle resterait mystérieuse, inaccessible et insondable ici ou là.

La fine compréhension d'une œuvre ne donne pas l'assurance d'en avoir perçu toutes les richesses (se jouer de la complexité de l'*Ulysse* de Joyce ou d'*Au-dessous du volcan* de Lowry ne fera jamais vibrer qu'une seule corde), ni même que l'on ait touché à l'essentiel. On peut tomber à genoux devant Scriabine sans être au fait de la difficulté d'exécution que représente sa musique. Toutes les grandes œuvres ont de multiples portes. Elles ne laissent jamais personne au-dehors. D'une manière ou d'une autre, elles vous conduiront toujours vers la lumière.

Je prends sans doute trop de précautions. Que je sois damné si ce préambule maladroit donne à penser que Faulkner est un auteur difficile et détourne de lui le moindre lecteur. Dans ce cas, je n'ai rien dit. Faulkner est un auteur magnifique, indispensable, vertigineux, d'une incroyable richesse. *Tandis que j'agonise* est une pure merveille, *Le Bruit et la Fureur* une espèce de diamant et *Lumière d'août* un bloc d'or incandescent. Voilà ce qu'il faut dire.

Ouvrant *Tandis que j'agonise*, l'ennuyeuse, l'ex-sangue préface de Valery Larbaud (que l'on aurait facilement imaginé plus inspiré en l'occurrence) est une espèce de plaisanterie venant d'un homme qui admirait Walt Whitman, William Carlos Williams, participa activement à la traduction d'*Ulysse* et fut l'un des plus ardents défenseurs de la littérature américaine (on la qualifiait alors de « folklorique » pour ne pas être dérangé). Le lecteur français doit donc arracher les pages de cette préface et ne pas douter qu'il tient entre ses mains l'une de ces choses qui participent de la beauté du monde.

Accompagné de ses enfants, Anse Bundren part enterrer sa femme qui vient de mourir. Le voyage dure plusieurs jours. Le corps se décompose. Ils perdent leurs mulets en traversant une rivière, un des fils se casse la jambe (elle se gangrène), un autre devient fou (il met le feu à la grange où se repose toute la famille), la fille doit se faire avorter (elle compte vendre des gâteaux pour réunir l'argent nécessaire)... et l'on assiste à cette procession funèbre par le biais de cinquante-neuf monologues intérieurs (dont celui d'Addie, la défunte, qui prend place au centre du livre), cinquante-neuf pièces d'un puzzle brandies comme des tisons ardents.

Le monologue intérieur est la grande affaire de Faulkner. Qu'on lise *Le Bruit et la Fureur* pour voir de quoi il est capable (les quarante mille mots du monologue de Molly Bloom, dans *Ulysse*, représentant l'autre sommet inviolable de cet exercice particulier et méticuleux). Il y a beaucoup de sueur, beaucoup de brutalité, beaucoup de lumière chez Faulkner. Ses personnages sont des simples d'esprit, des filles perdues, des illuminés, des brutes épaisses, des saints, des martyrs. Ainsi, on imagine sans peine la densité de ces fameux monologues, leur beauté ténébreuse remplie d'éclairs, leur moiteur, leur allure de puits sans fond.

Faulkner est un extraordinaire architecte. Au point que cette qualité ferait presque oublier l'essentiel : la puissance de l'écriture, le souffle poétique qui se lève comme un vent doux, indéfinissable, irrégulier, qui va et vient, tourne sur lui-même et finit par enfler, par siffler et mugir de tous côtés, balayant tout sur son passage. Il s'agit là d'une poésie de longue haleine, qui s'élabore sur la distance, la variation, la rumination, l'échauffement. Ça marche comme un vortex : on commence lentement, près du bord, par suivre un large cercle, puis on plonge, irrémédiablement.

Le grand architecte racontait parfois des choses amusantes. Par exemple il expliquait que les différentes voix qui s'exprimaient dans *Le Bruit et la Fureur* n'étaient dues en fait qu'à son incapacité à raconter l'histoire comme il fallait, « *bien que j'aie fait tout ce que je pouvais en essayant encore et encore, sans réussir* ». Ou bien, à propos de *Lumière d'août* : « *Je commençai le roman n'en sachant rien de plus qu'une image : celle d'une jeune femme, enceinte, parcourant une route de campagne qui lui est étrangère.* » Il déclare encore, dans une interview accordée à la *Paris Review* : « *Il n'existe aucun moyen mécanique pour écrire, aucun raccourci. Le*

jeune écrivain serait un idiot s'il suivait une théorie.
On tire les leçons de ses propres erreurs. Le bon
artiste, c'est celui qui croit que personne n'est assez
bon pour pouvoir lui donner un conseil. »

Plus tard, lorsque j'expliquai que je commençais
un roman avec une simple phrase en tête, soit l'on
refusa de me croire, soit l'on décida qu'il ne fallait
pas chercher plus loin les causes de mes piètres per-
formances. Et si par malheur j'ajoutais que je n'ac-
ceptais ni conseil ni aide d'aucune sorte, on me
taxait d'un orgueil démesuré. En conclusion, je
n'étais pas un écrivain.

J'admets qu'il se pourrait bien que l'on ne
devienne pas Faulkner en prenant place devant une
feuille blanche et en se bouchant les oreilles. Mais
l'attitude inverse, qui consisterait à prendre un maximum de précautions (savoir où l'on va, écouter les
autres, se méfier de soi-même comme de la peste...),
garantit-elle un meilleur résultat ?

J'ai adopté une position extrême car j'ai toujours
pensé (et cela peut sembler d'un romantisme éche-
velé) qu'un écrivain était un type à qui l'on avait
accordé une grâce et que cette grâce était fragile, et
que la suite serait un dur combat pour préserver son
intégrité. J'imaginais une petite flamme qu'il fallait
alimenter et protéger des vents mauvais — ils étaient
forcément mauvais, quelle que fût leur origine. Je
n'avais sans doute pas eu de saines lectures (« *Tu es*
un génie — toujours », répétait Kerouac). Par prin-

cipe, je considérais que l'environnement était hostile, ne m'imposerait que d'inacceptables compromis. J'étais capable d'écrire ou je ne l'étais pas. C'était à moi d'en décider. Et si malgré tout je me leurrais, si je n'étais qu'un cinglé parmi d'autres, au moins pourrais-je m'installer dans ma folie sans la moindre amertume.

Aujourd'hui, je n'ai pas vraiment changé d'opinion. Mais je conçois mieux que l'on puisse écouter les autres, réfléchir à un conseil, étudier une remarque. J'ai mis du temps à comprendre que j'étais issu d'un moule particulier et que ce moule n'était pas le seul — non plus que l'indispensable condition de la réussite. Parmi les meilleurs écrivains de cette époque, nombreux sont ceux qui n'ont pas adopté une attitude aussi rigide (handicapante ?) que la mienne. Or visiblement, ils ne peuvent que s'en féliciter.

Si bien que je ne sais pourquoi je prends la peine de citer à présent la réponse que fit Faulkner devant qui l'on s'étonnait qu'il n'éprouvât pas le besoin de discuter de son œuvre avec quelqu'un : « *Je suis trop occupé à l'écrire. Il faut qu'elle me plaise à moi et si c'est le cas, je n'ai pas besoin d'en parler. Si elle ne me plaît pas, en parler ne l'améliorera pas puisque le seul moyen de l'améliorer c'est de travailler un peu plus. Je ne suis pas un homme de lettres, je suis un écrivain.* »

Je sais ce que l'on va penser : que je reprends

d'une main ce que je tends de l'autre. Que j'ai une
vision naïve de la littérature. Que je nie le travail de
l'éditeur. Que je souffre d'une fierté mal placée.
Qu'une simple liste de remerciements suffit à me
troubler.

Vraiment ? Ne viens-je pas de donner des gages
de mon ouverture d'esprit ? En ai-je rajouté sur l'or-
gueilleuse solitude de l'écrivain ? Suis-je homme à
froisser un seul de mes confrères ?

Je dois à Faulkner des vertiges qu'aucune drogue
n'a jamais déclenchés dans mon esprit. Bien des
auteurs que j'ai cités m'ont accordé davantage de
plaisir, souvent des instants de bonheur absolu. Mais
j'étais comme une femme qui reçoit son amant, qui
se laisse pénétrer en soupirant d'un plaisir qu'elle a
anticipé, pour lequel elle s'est préparée consciemment ou non. Je veux dire, par exemple, que Kerouac
faisait vibrer en moi toutes les cordes que j'avais ten-
dues par avance, dans l'attente de l'accord parfait que
l'on ferait sonner dans ma poitrine. Or il me semble,
en revanche, que Faulkner m'a violé. Qu'il ne s'est
pas soucié de mes désirs. Moi que la simple rumeur
d'un style suffisait à mettre dans tous ses états, prêt à
s'offrir à la première sirène venue, voilà que je
m'aventurais dans le comté de Yoknapatawpha à la
suite d'un inconnu dont rien ne me séduisait au premier abord.

Je reviens sur l'effet hypnotique que produit

Faulkner sur son lecteur. Le double effet, devrais-je dire, puisqu'il est à la fois exercé par l'écriture et par le déroulement de la fiction, si bien que l'on est pris en tenaille. L'hypnose apparaît au moment où l'on ne sait plus si l'on doit s'abandonner au plaisir de la musique (les grondements sourds annonçaient le jaillissement poétique) ou admirer les structures de la cathédrale (l'arborescence de l'histoire, comme celle des personnages, provoque une sorte de vertige). Cet état d'abandon, de soumission inexorable du lecteur, intervient assez vite. D'autres vous ont foudroyé dès les premières lignes. Mais Faulkner, lui, prend son temps. On dirait qu'il vous observe. C'est un homme du Sud, il connaît la longueur du jour et n'a pas l'habitude de se précipiter. Il vous observe, se demandant à quelle sauce il va vous accommoder. Avant de se lever, il reste encore un moment à l'ombre, vous laissant mariner en plein soleil. Cela doit l'amuser, de savoir ce qui vous attend.

ERNEST HEMINGWAY

Au commencement de cet exercice, je m'en rends compte, il y avait plus de rigueur. J'étais capable de citer un livre et m'y tenais tant bien que mal. Les choses se sont relâchées avec Faulkner. À présent que j'aborde Hemingway, rien ne va plus. Je ne sais plus par quoi j'ai commencé. Ni quel ouvrage m'a marqué davantage que les autres. Sans doute les nouvelles, mais je ne le jurerais pas. Peut-être *Le Vieil Homme et la Mer* pour la beauté de l'écriture. À moins que ce ne soit *Le soleil se lève aussi*.

C'est Ernest Hemingway lui-même qui brouille ma mémoire. L'image de l'homme se plaçant devant l'œuvre. Sa présence physique reléguant l'écriture au second plan, ou du moins s'imposant comme une entité indissociable. Quant à moi, aucune de ses phrases n'est sortie d'un livre, mais uniquement de sa propre bouche, et ses lèvres remuaient au milieu de son visage.

Bien souvent, j'ai été confronté à cet étrange phénomène. De temps en temps, la plupart de mes auteurs préférés m'apparaissent au cours de mes lectures, mais jamais plus de quelques minutes, au contraire de Hemingway qui reste présent du début à la fin : il n'est plus tout jeune, son torse est bronzé, ses mains rugueuses. Il a pris du poids mais conserve un certain charme. Sa voix est agréable. Je peux sentir l'odeur de sa transpiration. Mais par là, je ne veux pas dire que nous sommes proches. Je ne rapporte ici qu'une manifestation troublante des pouvoirs de la littérature. On a compris que nos rapports s'en tiennent à de sévères limites. Même s'il était une jolie femme, je ne pourrais rien faire avec.

Il est donc là. Un homme d'un mètre quatre-vingt-trois, pesant plus de cent kilos, le « Byron américain ». Il est là comme il semble avoir été partout, comme s'il voulait assurer le service après-vente et n'en laisser le soin à personne d'autre.

Vous voyez comme c'est ? On n'est jamais très gentil avec lui, on ne peut s'empêcher de lui lancer quelques piques car on ne lui pardonne pas vraiment son côté fanfaron, grande gueule, son côté « ôte-toi de là que je m'y mette », narcisso-exhibitionniste, alors qu'il n'offre en échange qu'une œuvre assez limitée : une cinquantaine de nouvelles et six romans dont trois ne sont pas des chefs-d'œuvre.

Cependant, être un écrivain, physiquement, n'est pas une chose facile. Être un bon écrivain ne vous assure pas une place de choix parmi les vivants.

Heureusement, rien n'oblige à tâter de la pêche au gros, de la corrida, de la chasse aux fauves ou de la guerre. Rien n'oblige à monter sur un ring quand il y a des salons garnis de fauteuils pour s'expliquer. Hemingway était un rustre. « En avoir ou pas » était tout ce qui lui importait. Résultat ?

Enfant, il tombe avec un bâton qui s'enfonce dans sa gorge et lui arrache les amygdales ; se plante un hameçon dans le dos. 1915-1917 : blessures à la boxe ; blessures au football. 1918 : fracasse une vitrine d'un coup de poing. 08/07/1918 : commotion cérébrale et blessure par obus de mortier et mitrailleuse. 06/1920 : se taillade les pieds en marchant sur du verre. 07/1920 : tombe sur un taquet dans un bateau, ce qui provoque une hémorragie interne. 04/1922 : brûlures provoquées par l'explosion d'un chauffe-eau. 09/1925 : se déchire le ligament du pied droit. 12/1927 : blessure à l'œil droit. 03/1928 : se fait tomber un vasistas sur le front, points de suture. 10/1929 : se déchire un muscle de l'aine. 05/1930 : se coupe l'index droit sur un punching-ball. 08/1930 : visage et membres lacérés à cause d'un cheval emballé. 11/1930 : se casse le bras droit dans un accident de voiture. 04/1935 : se tire une balle dans les jambes en harponnant un requin. 02/1936 : se casse le gros orteil en donnant un coup de pied dans une clôture fermée à clef. 1937 : passe le pied à travers le miroir. 08/1938 : s'égratigne la pupille de l'œil gauche. 05/1944 : deuxième commotion quand sa voiture heurte une citerne pendant le black-out. 08/1944 : troisième commotion en sautant d'une moto dans un fossé, se met à voir double et souffre d'impuissance. 06/1945 : sa voiture fait un tonneau, sa tête heurte le rétroviseur, se blesse au genou. 09/1949 : sévèrement griffé en jouant avec un lion. 07/1950 : quatrième commotion, s'entaille le crâne en tombant sur le bateau. 10/1953 : s'entaille le visage et se foule une épaule, en tombant d'une voiture. 01/1954 : deux accidents d'avion en Afrique, cinquième commotion, fracture du crâne, hémorragie interne, paralysie du sphincter, deux disques de la colonne vertébrale fêlés, foie, rein droit et rate éclatés, bras droit et épaule droite démis, brûlures au premier degré. 01/1954 : graves brûlures en combattant le feu. 10/1958 : cheville foulée, se déchire le ligament du talon en escaladant une clôture. 07/1959 : sa voiture quitte la route près de Burgos. 02/07/1961 : armé d'un fusil Boss calibre douze, il place l'extrémité du canon dans sa bouche et se fait sauter la cervelle. (Selon une autre source, il appuie le canon contre son front et se fait entièrement sauter la boîte crânienne.)

Bref. On doit admettre que s'il en rajoutait, Hemingway payait tout de même de sa personne. Son corps attirait les ennuis, expérimentait le monde par un contact quasi permanent. La douleur en manière d'exercice de style.

On reproche à Hemingway d'avoir joué à être

Hemingway, de s'être caricaturé lui-même à partir des années trente. Des écrivains comme Saul Bellow ou Norman Mailer se sont chargés de lui infliger la correction qu'il méritait.

Aujourd'hui, davantage encore qu'hier, son attitude fait sourire ou grimacer. L'image de la virilité, si elle a jamais pâmé les foules, n'attire plus grand monde (sauf la lutte gréco-romaine qui permet des attouchements pervers).

On sait, cependant, que les choses n'étaient pas si simples. Descendre dans l'arène, monter sur un ring, faire la guerre ne sont pas forcément des occupations d'inconscients. À moins de n'avoir peur de rien, d'être une de ces espèces de têtes brûlées qui risquent leur vie sans même s'en rendre compte, le courage se paye au prix fort. Hemingway avait peur. *« Depuis la nuit du 8 juillet 1918 [celle de sa blessure], date à laquelle j'ai découvert que ça aussi c'était du vent, je n'ai jamais été un " dur " du tout. »* À quoi Maurice-Edgar Coindreau ajoutait qu'il était un faux costaud qui fanfaronne parce qu'il a peur du noir.

On ne doute pas que M.-E. Coindreau soit un vrai costaud. Qu'il passait en courant devant Hemingway pour tailler les toros en pièces ou essuyer une pluie de mortiers. Qu'il s'avançait dans le noir avec le sourire aux lèvres. On ne peut pas lui expliquer la tendresse que l'on finit par éprouver pour les faux durs, ni d'une manière générale pour certaines fai-

blesses humaines. D'autant qu'Hemingway, si l'on
en juge par la liste des retours de manivelle, ne s'est
pas contenté de plastronner devant l'épreuve : même
s'il tremblait, s'il traversait son « crépuscule tragique » comme le souligne Maurice-Edgar (qui ren-
chérit : « *S'il veut vraiment nous montrer sa bra-
voure, qu'il tue ce double géant qui l'accompagne
comme une ombre fatale* »), même s'il n'était plus
qu'un « grognard fatigué », il donnait plus souvent
qu'à son tour. De quelque point de vue qu'on la
considère, la virilité est un fardeau.

« En avoir ou pas », cependant, appliqué au
domaine de la littérature, peut donner de bonnes
choses : en particulier une certaine sécheresse qui
peut rendre une atmosphère respirable et dégager
une vision. Apprendre dans une arène, de la bouche
d'un Antonio Ordoñez, qu'il est facile de donner
l'illusion de l'émotion, mais qu'un torero digne de
ce nom ne se prêtera jamais à de telles pratiques,
voilà le genre de déclaration qui devait prendre un
sens particulier en tombant dans l'oreille d'un écrivain. Écrire comme l'on manie la muleta : avec une
précision absolue et sans artifices.

Admettons qu'avec l'âge Hemingway ne se soit
pas bonifié. Qu'il ait épuisé en quelques nouvelles,
et dès ses premiers romans, à peu près tous les
thèmes de son œuvre (l'échec, la peur, le néant, que
l'on peut résumer par le credo du garçon de café de

la nouvelle *Un endroit propre et bien éclairé* :
« *Notre nada qui êtes au nada, nada soit votre nom
et nada votre règne, comme nada votre volonté... »*).
Reste l'écriture, le fameux style « maigre », télégra-
phique, elliptique, que l'on a si souvent copié après
lui. Je ne sais plus qui le comparait à une feuille
réduite à ses nervures, mais cette image est la plus
juste que l'on puisse proposer.

Comme beaucoup d'écrivains, j'ai passé de
longues heures à étudier ce style à la loupe, essayant
de comprendre comment l'on arrivait à une telle
acuité, à une telle concision, en évitant le moindre
ornement. Comment, pour reprendre une indication
de Hemingway, on décrivait un iceberg tout entier en
n'en montrant que la pointe émergée.

Et ne serait-ce que pour cela (et pour l'initiation
de Nick Adams), Hemingway demeure un grand
professeur. « *Je cherchais alors, déclare-t-il, à tra-
duire les petits faits qu'on ne remarque pas et qui
constituent les émotions, comme la manière de jeter
son gant sans regarder où il tombe, le grincement de
la résine sous les semelles d'un athlète. (...) Ce sont
des choses qui vous émeuvent avant que vous
sachiez le fond de l'histoire.* »

Il est un grand professeur parce qu'il ne vous
lâche pas. Il est celui à qui on ne la fait pas. À quoi
bon se servir d'artifices quand il les désignera au
premier coup d'œil ? Avant Godard, le travelling est
déjà une question de morale, le choix d'un adjectif

relève d'une éthique, la concision de la langue est une affaire d'honneur.

Ses dérives, ses entorses à un code, ses glissements vers la caricature, Hemingway les a soldés un beau matin d'un coup de fusil de chasse. En ce qui me concerne, l'affaire est classée. S'il subsistait la moindre réticence, il suffirait de relire quelques nouvelles, par exemple celles qui sont réunies dans *Le gagnant ne gagne rien*, pour que le soleil se mette de nouveau à briller.

J'ai encore, sur ma liste, Richard Brautigan et Raymond Carver.

Liste que j'avais dressée hâtivement, afin d'aller à l'essentiel. Afin de ne pas mélanger les auteurs que j'aime à ceux qui m'ont profondément et définitivement marqué. Ce qui paraît idiot, d'une certaine manière. Mais enfin le jeu consistait à désigner les branches les plus évidentes, quitte à sacrifier la beauté du feuillage. Proposer les quelques noms qui me venaient aussitôt à l'esprit semblait être la bonne méthode, la preuve que ces auteurs avaient pour moi quelque chose de plus.

Faire court (j'ai toujours pensé que l'exercice pouvait très vite devenir soûlant) ne présente pas que des avantages. Non seulement je n'apporte rien à la grandeur de Céline ou de Kerouac en ajoutant trois mots aux études qui leur ont été consacrées, mais je vois surgir tous les autres, tous ceux dont je n'ai pas parlé.

Je suis resté un long moment à me demander pourquoi Bukowski, Fante ou Leonard Cohen (qui a écrit deux livres magnifiques) semblaient ne pas avoir trouvé grâce à mes yeux. Ou encore Philip Roth, Martin Amis, John Gardner ou Bret Easton Ellis, avec qui j'ai passé de grands moments. En y réfléchissant, je voyais le nombre de ceux que j'estime inoubliables s'accroître de manière inquiétante.

J'ai failli tout abandonner. Le rayonnement des absents était insupportable. Mais d'autre part, j'avais reçu une avance pour ce travail. Je me trouvais donc face à un véritable dilemme, arpentant mon bureau de long en large. Un garçon comme Robert McLiam Wilson pouvait m'en vouloir à mort. Stephen Dixon pouvait ne plus jamais m'adresser la parole. Quelques Russes et quelques Japonais viendraient cracher sur ma tombe. Et au moins un Argentin, un Portugais et un Tchèque. Toute cette histoire tournait au cauchemar.

Je dois beaucoup à mon éditrice, en cette période de confusion. Elle s'est montrée d'une patience extrême, m'assurant que d'autres viendraient après moi, qui s'arracheraient les cheveux par poignées entières ou iraient s'effondrer dans un bar plus ou moins chic, rongés par le remords. Elle a aussi fait une remarque qui nous a permis, ma conscience et moi, de retrouver un terrain d'entente. « Allons, a-t-elle soupiré, ne me dis pas que tous ces gens ont bouleversé ta vie !... »

Bouleverser : mettre en grand désordre, par une action violente. C'était donc ça. Voilà ce que j'avais perdu de vue. Mais cependant (et j'en restai très étonné), je ne m'étais pas trompé : les dix auteurs que j'avais choisis étaient bien ceux qui avaient bouleversé ma vie, et pas seulement ma vie d'écrivain. Chacun d'eux, à leur manière, avait transformé ma vision. Il ne s'agissait plus là de bonheurs de lecture (peut-être même en ai-je éprouvé de plus grands avec certains que je n'ai pas retenus) mais d'éducation, d'envahissement, de choses contre lesquelles il est inutile de lutter.

Hemingway déclarait qu'il avait mis K.-O. Maupassant et Tourgueniev et qu'il s'apprêtait à en faire autant avec Melville et Dostoïevski (pour Shakespeare et Tolstoï ce serait plus dur, à moins d'un combat en six rounds). Faulkner pensait qu'un jeune écrivain ne devait pas s'encombrer de l'admiration qu'il voue aux classiques : son ambition devait être de les surpasser. Mais peut-être est-il possible de se contenter, avec le temps, de ne pas les décevoir et d'être fidèle (sinon reconnaissant) à certaine conception de l'acte d'écrire, ou plus simplement d'appréhension du monde (et être fidèle à soi-même par la même occasion).

Il est préférable de devenir un homme avant de devenir un écrivain. Tout le monde y trouvera son compte. Ceci dit, ne visant personne, je souhaiterais rester en dehors d'un débat qui nuirait à l'image de la profession, plutôt bonne dans l'ensemble, plutôt plan-plan et sympa. Non, je voulais juste poursuivre mon idée, à savoir que ces auteurs ne m'ont pas indiqué le chemin de la littérature mais une voie bien plus glorieuse. Que les chocs qu'ils m'ont infligés n'ont guère de rapport avec mon passe-temps favori. Ils sont d'une autre sorte. Ils ont à voir avec ma notion du bien et du mal, du haut et du bas.

Voilà pourquoi je les ai choisis. Ou plus justement, pourquoi ils se sont imposés eux-mêmes.

RICHARD BRAUTIGAN

Tokyo-Montana Express

Les écrivains, dans leur grande majorité, souhaitent laisser une empreinte. On imagine aussitôt quelque chose de lourd, de pesant.

Les écrivains, dans leur grande majorité, sont des enclumes.

Mais il s'en trouve un, quelquefois, qui choisit la légèreté. Non par manque de profondeur, de densité ou d'intelligence, au contraire. Simplement parce qu'il vaut mieux que les autres.

Par exemple, Richard Brautigan peut faire tenir une tragédie grecque dans un dé à coudre. Ou trouver un cheveu de femme dans une meule de foin. Combien en sont capables ? Occupés à refaire le monde, à consolider leur carrière, peaufiner leur image, signer des autographes ou squatter un maximum de manifestations littéraires, les écrivains ne sont plus drôles. Une armée de notaires défilant sous un ciel d'automne pourri, voilà pour l'image. Mais y a-t-il autre chose derrière cette image ?

Par légèreté, il faut entendre la capacité d'être porté par les airs. Écrire comme si l'on était aux commandes d'un planeur. Démonstration :

Love Poem

It's so nice
to wake up in the morning
all alone
and not have to tell somebody
you love them
when you don't love them
any more

Par légèreté encore, il faut entendre un rapport étroit avec l'impondérable, une parfaite connaissance de l'infiniment petit et de l'éphémère.

Les sources d'émerveillement sont inépuisables, ici-bas. Toute la laideur, toute la bêtise, toute la puanteur accumulées n'y peuvent rien : la lumière continue de gicler par le moindre interstice. Et si l'on en doute, il y a deux moyens de s'en persuader : le *Tao-tê-king* et Richard Brautigan.

Comme tous les grands désespérés, Brautigan est capable de la plus irrésistible drôlerie, des plus purs élans d'optimisme. Il est l'homme de la tempête de neige à deux flocons, l'homme d'une lueur dans la boutique d'un marchand de glace, en plein cœur de l'hiver, l'homme qui transforme les restaurants vides en entreprises de pompes funèbres. *Tokyo-Montana Express* est une mine. Il y a comme ça cent trente et une petites histoires, cent trente et un regards obliques, cent trente et une stations poétiques. Et donc autant de raisons de considérer le monde sous un jour acceptable.

Vers la fin des années soixante, au lendemain du festival de Monterey, la « contre-culture » accouchait, après Ken Kesey ou Gary Snyder, d'un nouvel écrivain culte. En quelques jours, les vitrines des librairies américaines se garnissent du premier roman de Richard Brautigan : *La Pêche à la truite en Amérique*. Même pour un Français, il était difficile de passer à côté. Le décalage, entre les deux mondes que séparait l'Atlantique, se réduisait de jour en jour et la photo d'un grand type aux cheveux blonds, longs, moustaches tombantes et jambes arquées, commençait à circuler par ici.

À cette époque, avec ou sans l'aide d'hallucinogènes, le plus grand nombre vantait la richesse et la particularité de son propre univers (en général coloré, vaguement sexuel et étrange, en tout cas insoupçonné). Si l'on se fiait à la rumeur, chacun était en mesure d'ouvrir les portes d'un jardin secret dont le moindre buisson recelait une essence admirable. Ce qui était peut-être la vérité, après tout. Certain regard perdu, certaine difficulté à déglutir, certaine suée ne témoignaient-ils pas de la grande profondeur de ces mondes inconnus ?

Restait que le problème, toujours le même, était de rendre compte de ces visions, d'une manière ou d'une autre. Une bonne vingtaine d'années plus tôt, Kerouac n'était pas le seul à prendre la route, mais ils ne furent pas plus que les doigts d'une main à l'arrivée.

Le plus frappant, chez Brautigan, est son extraordinaire faculté à « coller » avec l'esprit de cette période dont Michel Houellebecq est l'un des rares à dire du mal (mais gageons qu'il en aurait été l'une des figures les plus attachantes s'il était né dix ans plus tôt). L'impression, lorsque je refermai *La Pêche à la truite en Amérique*, que je lisais ce que je vivais, sans le moindre décalage, me secoua profondément. C'était une expérience nouvelle, inattendue, particulièrement agréable et entêtante. De tous les auteurs que j'ai évoqués jusqu'à présent, Brautigan est celui que j'ai senti le plus proche (non pas tant par la pensée — Brautigan est plus fou que moi — que par le sentiment d'appartenance au même univers : je lisais Thoreau et Whitman, il écoutait les Beatles et le Grateful Dead, et je voyais les mêmes films que lui, je recevais les mêmes nouvelles du monde, je m'habillais comme lui et mes cheveux étaient aussi longs que les siens..., bref, nous étions sur le même navire).

Quoi qu'on en dise, un sérieux vent de folie a soufflé sur ces années-là. Il y avait un tel désir de changement, un tel besoin systématique de nouveauté, de transformer les choses, et plus encore les esprits, que rien ne semblait échapper aux tourbillons. Une bonne partie du monde vacillait, en pleine effervescence, tandis que l'autre résistait, se raidissait, et multipliait les crises de nerfs.

On sait de quel côté se tenait Brautigan. Et l'on imagine en quoi consistait la difficulté pour un écrivain : sur quel pied fallait-il danser ? Par quel bout fallait-il prendre ce monde arborescent, qui se métamorphosait sans cesse, qui partait dans tous les sens ? Visuellement, les choses devenaient méconnaissables (des chemises violettes, de la moquette fluo, des flics à tous les coins de rue, du dentifrice à rayures, Warhol et Lichtenstein...). Et à moins de se boucher les oreilles, il fallait aussi compter avec un flot de musique incessant, présent du matin au soir, et qui ne se privait pas d'explorer tous les genres. (Mais aussi, trente ans plus tard, et vis-à-vis des générations suivantes, j'ai presque honte d'avouer à quel point tout cet environnement, cette avalanche de nouveautés dont la principale qualité pouvait bien n'être que la nouveauté en soi, le changement coûte que coûte se révélaient grisants — et nourrissants, au bout du compte).

La Pêche à la truite en Amérique est une bonne entrée en matière. À la fois un bel échantillon de l'univers de Brautigan, de sa structure mentale, ainsi qu'un beau croquis de l'époque, une représentation fidèle de son architecture — l'adéquation entre les deux constituant la grande réussite de l'écrivain au regard du cheval fou qu'il s'agissait d'enfourcher. C'est un récit sans queue ni tête, une succession d'anecdotes dont le seul fil conducteur est réduit au miroitement d'une truite (« un métal précieux et intelligent ») dans les eaux d'une rivière, avec des titres de chapitre du genre « Prélude au chapitre sur la mayonnaise » ou « Petit hommage à Léonard de Vinci ». Autant dire un pur condensé de drôlerie, d'absurdité, de fureur poétique — passion du détail, rejet de l'abstraction, antiréalisme... —, autant dire un de ces mélanges auquel la littérature ne nous avait pas habitués.

Être écrivain, quand Brautigan publia son premier livre, n'était pas comme aujourd'hui où l'on se presse à nouveau, en infâmes groupies que nous sommes, autour de la première starlette venue. Non, les gens se méfiaient des écrivains. On accordait facilement sa confiance aux musiciens, aux cinéastes ou aux peintres, mais pour ce qui concernait la littérature, le cœur n'y était plus vraiment. En fait, en dehors de Philip K. Dick, Hermann Hesse, Khalil Gibran ou Alan Watts (et quelques autres du même tonneau), les écrivains n'occupaient plus le devant de la scène. Non qu'ils fussent particulièrement mauvais ou à côté de la plaque, mais l'intérêt des gens était ailleurs, fixé sur d'autres moyens d'échange et la littérature peinait à retrouver ses marques : les librairies n'étaient plus l'endroit où l'on se bousculait — du moins, où l'on croisait quelques personnes.

Il semblait que les livres appartenaient au monde ancien, que la lecture pouvait être une occupation malsaine (*lire* à une terrasse de café pouvait devenir un handicap — sauf s'il s'agissait de *Rolling Stone*, ou mieux encore, de *Cream*). En fait, le problème venait surtout du décalage, du retard qu'une émotion prenait sur l'autre. Autrement dit, au cours d'une époque où tout le monde s'emmerde, la littérature est au pinacle. Mais dès les premiers signes d'ébullition, la voilà qui hésite et perd son pouvoir : elle apparaît tout à coup vieille et ridée et n'intéresse plus que les pervers ou les gens de son âge.

Endormie sur ses lauriers (l'après-guerre, le nouveau roman...), la littérature avait une espèce de gueule de bois, dans les années soixante. On aurait dit que pour elle, tout allait un peu trop vite et qu'elle renâclait. Qu'elle trouvait toute cette agitation trop vulgaire. Et ainsi, de fil en aiguille, laissait-elle se creuser un large fossé, laissait-elle s'éloigner, dans le bruit et l'effervescence, le train qu'elle renonçait plus ou moins à prendre.

Bien entendu, à lui seul, Richard Brautigan n'est pas toute la sève qui a de nouveau jailli dans les branches. Mais combien sont-ils à explorer le sol de leur salle de bains pour retrouver un cheveu de leur amoureuse et en faire tout un roman ?

L'écrivain capable de cet exploit est forcément prêt à en réaliser bien d'autres.

Livre après livre, Richard Brautigan s'est amusé à franchir tous les obstacles — à dynamiter tous les genres, aussi bien revisitant le roman policier que la science-fiction, le gothique ou le pornographique. Et en cela, il donnait la preuve qu'un écrivain pouvait avoir un assez bon sens de l'humour, de la distance et de la dérision, qualités si rares et si précieuses qu'il replaçait d'emblée la littérature dans le peloton de tête (échanger son dernier acide ou le nouveau Led Zeppelin contre un roman de Brautigan devenait une nécessité).

L'idée que les choses les plus sérieuses du monde — l'amour, la littérature, soi-même... — sont également les plus comiques, cette idée simple, claire et juste, Brautigan en a extrait tout le jus, il en a exploité la moindre facette. Pour lui, n'est vraiment drôle que ce qui est profond, comme ne sont légères que les choses qui ont une âme.

On a perdu cette faculté de rire de soi-même, de poser sur le monde un regard amusé. Les écrivains, aujourd'hui, croient tellement ce qu'ils racontent — du gay à la hardeuse et jusqu'à l'écorché de service — qu'on en reste médusé. Et que l'on se demande : mais comment vont-ils faire ? Comment vont-ils s'y prendre pour ne pas finir écrasés ? Et aussi : comment vont-ils retrouver leur amoureuse s'ils refusent de s'aplatir sur le sol ? Et enfin : comment pourront-ils nous aider ?

On m'a quelquefois cassé les pieds avec le style de Richard Brautigan. On m'a demandé si je n'étais pas conscient d'une relative faiblesse, d'une relative facilité, et en conséquence, si je n'en faisais pas trop pour l'auteur de *Mémoires sauvées du vent*.

Il m'a toujours été difficile de répondre. Ce genre de question m'énerve. Et qu'elle ne soit pas sans fondement m'énerve encore davantage.

Mais sur moi et mon interlocuteur, que cela nous apprend-il ?

Que quand le doigt montre la lune, l'imbécile regarde le doigt.

RAYMOND CARVER

Peut-on dire d'un écrivain qu'il est tout ce que l'on aime ?

Eh bien, pour commencer, il faudrait que le style de cet écrivain soit parfait à votre oreille. Qu'en cas d'urgence extrême, ce style, vous soyez capable de sacrifier tous les autres pour ne garder que celui-ci — car il est leur quintessence, ou encore, diriez-vous, leur impeccable aboutissement.

C'est déjà beaucoup.

Mais il faudrait ensuite que cet écrivain, s'il veut ramasser toute la mise, et une bonne fois pour toutes, que cet écrivain ait taillé un univers à vos mesures. Qu'il parle de ces choses qui pour vous ont un sens.

Eh bien, la réunion de ces deux conditions est impossible. Le nombre et la diversité des connexions nécessaires font qu'on abandonne tout espoir.

N'empêche que Raymond Carver est tout ce que j'aime.

Par hasard, je lisais John Gardner avec assiduité, au milieu des années soixante-dix, et cet écrivain m'impressionnait beaucoup (« *C'est comme si Dieu m'avait mis sur cette terre pour écrire* », déclarait-il). J'étais également intrigué par les cours d'*écriture créative* qu'il avait donnés avant de se tuer dans un accident de moto. En cherchant un peu, j'appris qu'un certain Raymond Carver avait été son élève.

Ça donnait quoi, avoir eu John Gardner comme professeur ?

Raymond Carver a expliqué qu'il lui devait sans doute un goût immodéré pour la relecture et les corrections. « *Il m'a montré comment m'y prendre pour dire ce que j'avais à dire en usant du minimum de mots... Et il insistait, encore et encore sur la nécessité d'employer un langage ordinaire, la langue la plus courante, celle dans laquelle nous nous parlons tous les jours.* »

John Gardner avait beau centrer l'essentiel de son cours sur la nécessité de produire une littérature morale (« *Ce qui est moral, dans la fiction, c'est au premier chef la façon de considérer les choses. La prémisse de l'art moral, c'est que la vie vaut mieux que la mort : l'art est à la recherche des voies d'accès à la vie. Un livre est réussi si nous sommes puissamment convaincus que ses personnages centraux, dans leur combat pour la vie, ont gagné honnêtement ou, s'ils perdent, qu'ils sont tragiques dans leur défaite et non pas pitoyables et exaspérants* »), il semble qu'il n'ait pas oublié de dispenser une solide méthode (attitude) d'écriture. Employer un langage ordinaire, user du minimum de mots pour dire ce que l'on a à dire, se relire et se corriger jusqu'à plus soif... Vraiment ? Alors tout est aussi simple ?

Arrêtons de blaguer une minute. Raymond Carver écrit comme un dieu et toute espèce de discussion à ce propos n'attire que les crétins de la pire espèce et les besogneux.

Je sais que des écrivains errent encore à droite et gauche, que d'autres s'engagent sur de drôles de terrains et qu'une bonne part se fout du monde, mais arrêtons de blaguer une minute : que la grâce soit tombée sur un prolo américain, alcoolique et à demi inculte, il faut l'accepter. Sans grincements de dents d'un certain côté, ni enthousiasme déplacé de l'autre. N'ajoutons pas au désarroi de ceux qui ne savent pas encore qu'en matière de littérature, la véritable aristocratie se gagne.

La simplicité — l'économie, la sécheresse — évoquée à propos de l'écriture est comparable à l'os, ou encore au noyau. Au sens où l'on ne peut creuser davantage. On ne va pas plus loin. Étrangement, on nomme « minimaliste » un style qui fait de chaque phrase un bâton de dynamite et qui donc produit le maximum. Mais passons. L'os (dur) ne se dévoile que lorsque la chair (molle) est éliminée. Je n'invente rien. On peut me reprocher, je m'excuse, d'être partisan, mais je n'invente rien. L'os, on l'accordera, n'est accessible qu'au terme d'un processus dont John Gardner fournissait et rabâchait le détail à ses élèves. Quand donc sera-t-il définitivement admis qu'il est plus difficile de retrancher que d'ajouter ? Que plus on s'approche du noyau, plus l'exercice requiert d'extrême finesse ?

On rirait presque d'entendre encore parler, jour après jour, de la richesse d'un style, d'une écriture somptueuse ou plus simplement du grand feu d'artifice que nous a fait péter Pierre ou Paul (très en forme, en ce moment, dionysiaque en diable, l'animal !...). On sourit discrètement à l'évocation de ces pages délicieuses, de ces œuvres inoubliables, de ces auteurs en lévitation, au maximum de leur talent. Les critiques — on ne parle pas ici des têtes brûlées, des vrais connaisseurs ni des humbles — forment un chœur dont on applaudit fort la justesse en se disant, mon Dieu, mais quel rassemblement de clairvoyance, de bon goût, de courage, de sang neuf, et surtout, quel bienfait pour la littérature.

Et juste à ce moment-là, ma fille entre et, après avoir parcouru quelques lignes par-dessus mon épaule, me demande où est le problème. Où est le problème ? Eh bien, ma chérie, laisse-moi t'expliquer une chose : un homme sensé ne peut prétendre s'occuper de tout et il ne se mêlera pas de ce qui ne le regarde pas. Tu me connais. Cependant, là c'est mon job. Il s'agit de ma branche. Déjà que je ne vote pas, même par procuration, pour élire nos délégués. Tu comprends, n'est-ce pas. Si tu étais à ma place et venais de passer toutes ces journées avec la crème de la crème, je veux dire en compagnie des plus grands, eh bien tu sentirais cette colère, ce besoin de vérité et de calme.

Ma fille, tu vois qu'il n'y a aucun portrait d'écrivain sur les murs de mon bureau. J'ai passé l'âge. Tu ne peux pas m'accuser de ne penser qu'à ça et de t'en rebattre les oreilles du matin au soir. Je n'ai pas ce côté sentimental, il me semble, ce côté cœur d'artichaut, de vieille groupie azimutée. Ne me dis pas ça. Tu peux me croire quand je t'affirme que ce n'est pas joué. Que dans ce domaine, comme dans d'autres, s'exercent des forces négatives, au mieux d'inertie, mais quand même plutôt négatives, je le répète, plutôt exaspérantes si je peux t'ouvrir mon cœur. Ainsi, ne présume pas de la victoire de l'honnête homme en de telles circonstances, ne crois pas que Raymond Carver fasse l'unanimité et que nous puissions dormir les bras croisés. Trop de forces négatives en présence. Trop de chroniqueurs et trop de chroniqueuses et trop d'amour de soi. Trop de goût pour le pouvoir, faute de mieux. Trop de consensus.

Ma fille, le jour où Raymond Carver aura droit aux mêmes honneurs que Nabokov, tu verras ton père se retourner dans sa tombe.

Sache qu'un style dépouillé à l'extrême ne fait pas

que des heureux. Ton père ne s'est pas battu contre
des moulins à vent. Prends la page des livres. Il y a
des filles de ton âge qui écrivent dans les magazines,
qui écrivent sur les auteurs, et qui, ah là là, ont un tel
mauvais goût, elles sont tellement à côté... Elles sont
tellement, comment dire, tellement *universitaires*. Tu
comprends, elles ont si peur de passer pour des
andouilles. Oui, les garçons pareil, bien entendu. Je
parlais des filles parce que tu es une fille mais le
sexe n'a rien à voir. Je veux dire, je comprendrais si
ce n'était qu'une bande de vieux schnoques hors
d'usage. Je comprendrais qu'ils fassent les singes. Et
alors, ça ne me gênerait pas qu'ils promènent leurs
drapeaux et fassent la loi dans leur petite jungle. Ça
ne me gênerait pas du tout. Je ne fais plus attention à
eux depuis une éternité. Mais des gens de ton âge,
ma chérie !... Ayant si peu de goût, si peu d'humour,
si peu d'intégrité, tu crois que ça m'amuse ? Des
gens qui ne prêchent que pour leur chapelle et en
deviennent si lourds, tu crois que ça fait plaisir ?

Je vois des monstres partout. C'est ce que tu
penses. Tu penses, faire tant d'histoires pour une
poignée d'usurpateurs, d'incompétents ou d'aigris,
ça rime à quoi ?

Ça soulage. Ça fait du bien. Ça soulage à mort.

Ne va pas le répéter autour de toi, c'est inutile. Ne
va pas leur donner de nouvelles munitions. Mais le
fait est que ça procure un vif plaisir. Après vingt-
cinq années d'écriture, vingt-cinq années au cours

desquelles il a fallu survivre, se presser le citron du matin au soir et faire preuve d'une infinie patience, l'envie d'en découdre avec quelques ploucs, avec deux ou trois nouveaux venus qui aimeraient faire la loi, cette envie-là devient insurmontable. On se fâcherait presque avec ses amis plutôt que d'y renoncer. C'est un plaisir profond, joyeux, rédempteur. C'est comme un sport.

Je n'attends même pas qu'ils disent un mot de travers. Quelle importance ? Je les croise parfois, dans des temples de ceci ou cela, et je sais très bien ce que je fais. Je vois très bien sur quel terrain nous ne pouvons nous entendre. Des filles de ton âge. Qui ont quoi ? Cent feuillets derrière elles ? Ou un petit bouquin ? Je sais que je ne devrais pas me frotter les mains. Je sais que je ne devrais pas être fier de ça. Mais aussi, comment se retenir ? Comment repousser cette espèce d'érection ? Comment s'empêcher d'attraper une feuille et d'aligner quelques phrases bien jouissives ? Avoir des sentiments assez brûlants, un peu de rage au cœur et quelques têtes de Turcs, n'est-ce pas le paradis pour un écrivain ? N'est-ce pas la suprême récompense ?

Raymond Carver avait tellement de choses à dire et il s'accordait si peu de mots pour les exprimer. On dirait de l'ivoire. Pour bien comprendre, il faut être en colère, ou profondément amoureux ou malheureux, enfin excité ou électrisé d'une manière ou d'une autre. Et ensuite, il faut pénétrer dans une petite boîte. Il faut se plier et se rouler sur soi-même. Je n'en connais pas beaucoup qui y parviennent. Ça donne envie quand on les voit.

Tout ce qu'on peut faire, au moins c'est garder un certain état de vigilance. Entretenir la forme, été comme hiver. Être en forme permet de comprendre Raymond Carver. D'ailleurs, il n'y a pas d'autre moyen. On se fiche de qui a commencé. Il convient d'avoir été écrasé au moins une fois. D'avoir touché le fond au moins une fois. Mais en vingt-cinq ans de littérature, on ne risque pas d'être passé à côté. On ne risque pas.

Tu n'étais même pas née, il y a vingt-cinq ans. Peut-être que je pensais à une nouvelle de Raymond Carver quand tu as poussé ton premier cri. Je me disais, on n'est jamais dans le noir complet. Il y a toujours ce sentiment d'une présence. Il y a toujours quelqu'un pour vous guider. Et c'est pour cette raison qu'il n'y a pas que la colère, pas simplement cette rage, mais aussi la reconnaissance. Je me disais, en voilà un qui traverse le ciel comme une boule de feu et retourne les océans. En voilà un qui est tout ce que j'aime.

La seule raison d'écrire qui ait un peu de panache — les autres nous obligent à baisser la tête — c'est ce besoin de donner le meilleur de soi. Sans arrière-pensées. Ce besoin fondamental de donner le maximum. Personnellement, quand je vois ce qu'a fait

Raymond Carver, je n'ai pas envie de me regarder le nombril dans une glace. J'ai envie de prendre un fouet et de me frapper les épaules. En tout cas, ça se pourrait bien. Quand je lis une nouvelle de Raymond Carver, ou bien un poème, ou n'importe quoi, je sais ce qui me pousse à m'améliorer. Je sais d'où ça vient.

J'en ai le souffle coupé, en y pensant. C'est comme de rencontrer une femme qui vous rendrait incapable de mentir, de trahir, incapable de faire le con, et qu'au lieu de vouloir assassiner vous ne pensiez qu'à remercier du fond du cœur.

Après Raymond Carver, je n'ai plus connu ça, je n'ai pas l'impression. Je pourrais en mettre beaucoup à côté de lui, des écrivains incroyables, des auteurs qui vous mettent à genoux, et même des nouveaux, des types qui n'ont pas encore écrit un dixième de leur œuvre, je pourrais en aligner pendant une heure entière mais pas un ne le dépasserait. Il garderait toujours un léger avantage.

La place est difficile à prendre. Elle n'est pas imprenable mais, quand je songe à ceux qui n'y sont pas parvenus, je dois reconnaître que l'espoir est mince. En tout cas, j'aurai terminé cet exercice avant qu'il puisse m'arriver quoi que ce soit, et donc, il n'y aura plus rien après Raymond Carver.

Je ne dis pas *rien au-dessus*, je dis *rien après*.

Cet ouvrage a été réalisé par

FIRMIN DIDOT

GROUPE CPI

Mesnil-sur-l'Estrée

*pour le compte des Éditions Robert Laffont
en décembre 2001*

Cet ouvrage a été composé par
Graphic Hainaut (59163 Condé-l'Escaut)

Imprimé en France
Dépôt légal : janvier 2002
N° d'édition : 42361/01 - N° d'impression : 57913